名探偵コナン
ブラックインパクト！
組織の手が届く瞬間

水稀しま／著
青山剛昌／原作

★小学館ジュニア文庫★

オレは高校生探偵、工藤新一。

幼なじみで同級生の毛利蘭と遊園地に遊びに行って、黒ずくめの男の怪しげな取り引き現場を目撃した。

取り引きを見るのに夢中になっていたオレは、背後から近づいて来るもう一人の黒ずくめの男、ジンに気づかなかった。ジンに殴られたオレは毒薬のカプセルを飲まされた。

そして、目が覚めたら――体が縮んで子供の姿になっていた!!

工藤新一が生きていると奴らにバレたら、また命を狙われ、周りの人にも危害が及ぶ。

だからオレは阿笠博士の助言で正体を隠すことにした。

蘭に名前を聞かれてとっさに『江戸川コナン』と名乗り、奴らの情報をつかむために、父親が探偵をやっている蘭の家に転がり込んだ。

オレを妙な薬で子供の姿に変えた、黒ずくめの男たち。奴らは人の命をなんとも思わない凶悪な組織――黒ずくめの組織だった。

冷酷非情な組織の幹部、ジン。

ジンの片腕、ウォッカ。

変装の名人、ベルモット。

そして、シェリー。

シェリーの本名は、宮野志保。オレが飲まされた毒薬『APTX4869』を開発した科学者だったが、姉を組織に殺害されて反抗し、自らも命を絶とうとその薬を飲んだところ、体が縮んでしまった。今は組織の目を逃れるために『灰原哀』という名前で小学生になりすまし、阿笠博士の家に住んでいる。


謎に包まれた黒ずくめの組織の正体を、オレの他にも密かに追っている者たちがいる。

アメリカ連邦捜査局、FBIの捜査官、ジョディ・スターリングと赤井秀一だ。

二人が追っているのは、ベルモット。

ベルモットは帝丹高校の担当医・新出智明に変装してシェリーを捜していた。そんなことを知らずに、阿笠博士は風邪を引いた灰原の往診を頼み、オレと灰原の正体がベルモットにバレてしまった。オレは灰原に変装して、ベルモットの誘いに乗った。そのときはFBIも網を張っていて、ベルモットとFBIとオレ、三つ巴の対決になった。灰原を狙ったベルモットの計画は失敗し、この事件でオレは組織の情報をつかむことができた。

それは、奴らが携帯電話でボスへメールを送る際のタッチ音が童謡『七つの子』のメロディーになること。

そしてまた、奴らが動き出した。『七つの子』のメロディーと共に暗殺計画が実行されようとしている。

一体誰を狙ってるんだ――!?

小さくなっても頭脳は同じ。迷宮なしの名探偵。真実はいつもひとつ!

１

　アメリカのとある州の街中にある大きな公園。大勢の人やマスコミが集まった特設ステージでは、大統領選挙の演説が行われていた。

　大統領選候補の一人、ケビン・ブラウンが演台に立つと、観客から拍手とケビンコールが沸き起こる。

　演説を始めたケビンのこめかみが、ライフルに付いているスコープの十字線の中心にピタリと定まった。『５００ｙｄ』（１ヤードは約０・９メートル）と距離が表示される。

　引き金に掛けられた人差し指に力が込められ、短い銃声と共にケビンのこめかみに銃弾が突き刺さった。

「やった」

リフトの上でライフルを構えていた女は、思わず声を上げた。その瞬間、目の前の景色が消えて、ドーム状の黒いスクリーンがあらわになる。

そこは、巨大なドーム型スクリーンにリアルな映像が投影されたバーチャル射撃訓練場だった。

「500ヤード、クリア。次はアンタの番だよ」

左目の周りに蝶のタトゥーがある女は、チラリと横を向いた。隣のリフトには、サングラスに黒いキャップを被った面長の男がライフルを持って立っている。

男がライフルを構えると、目の前のスクリーンに再び景色が投影された。今度は公園ではなく、森に囲まれた大きな湖だ。湖畔には高級車が停められ、SPらしき男が立っている。

ライフルを構えた男は、スコープで湖の真ん中を覗いた。小さなボートにケビン・ブラウンが乗っていて、背を向けて釣り糸を垂らしている。

スコープの十字線の中心に、ケビンの後頭部が定まった。『５５０ｙｄ』と距離が表示される。

短い銃声が響くと同時にケビンの後頭部に銃弾が突き刺さり、ケビンは湖に落ちていった。

隣のリフトに乗っていた女が双眼鏡を覗きながら、ヒュ〜と口笛を鳴らす。

「さすがだね」

女が再びライフルを構えると、後方の出入り口からジンとウォッカが現れた。

ドームスクリーンには夜の超高層ビル群が映し出され、女はスコープを覗いた。ビルの間を通る高架線がクローズアップされ、列車が通過する。空席が目立つ車内には、ケビン・ブラウンが乗っていた。やがて列車は駅に停車して、ケビンは読んでいた本を閉じ、窓の方を見る。

その額がスコープの十字線の中心に定まった。『６００ｙｄ』と距離が表示され、女はライフルを撃った。

銃弾はブラウンの額に見事命中し、ブラウンが床に倒れる。

「600ヤード、クリア。〝ケビン・ブラウンは三度死ぬ〟ってね」

「……四度」

面長の男はぼそりとつぶやいて、ライフルを構えた。二人の射撃を見ていたウォッカが
「やりますね、兄貴」とジンに話しかける。

次の映像はスーパーボウルが開催されているスタジアムだった。観客であふれ返る会場にはガラス張りのVIPルームがあり、ケビン・ブラウンが中央のシートでポップコーンを脇に置いて観戦している。

スコープの十字線の中心が、ケビンの顔を捉えた。その距離、650ヤード。

男はライフルを撃った。放たれた銃弾はフィールド上を突き進み、VIPルームの窓を突き破って、ケビンが座るシートの背もたれに当たった。

隣のリフトで見ていた女が、キャハハハと笑う。

「残念。これでアタイがクリアすれば、アタイの勝ちだね」

女はライフルを構え、スコープを覗いた。ケビンの額が十字線の中央に定まる。

「ヘッ。もらったよ」

女はライフルの引き金を引いた。しかし、銃弾はケビンの横に置かれたポップコーンを貫いた。チッと舌打ちをする女を見て、ウォッカがつぶやく。

「どうやら、600ヤードが限界みたいですね」

「ここまでだ」

ジンが踵を返すと、女が「ジン！」と声をかけた。

「待ってよ。もう一度――」

「その必要はない。今度の狩りはせいぜい2、300ヤードだ」

「それじゃあ……」

女の表情が明るくなると、ジンはくるりと振り返り、凍てつくような鋭い視線を二人に向けた。

「キャンティ、コルン。仕事だ」

その頃。

『泥参会事務所』の看板を掲げた三階建てのビルの前には、黒塗りの車が停まり、玄関前では強面の男たちがずらりと並んでいた。ビルから出てきた目つきの悪い女・毒島桐子が男たちの間を通り、停められた車に向かう。お付きの男が少しおくれて車のドアを開けようとすると、女は持っていたハンドバッグで男の顔を思い切り引っ叩いた。

「何もたもたやってんだい!!」

「す……すいやせん!」

その様子をうかがうように、そこからやや離れたところに、一台の車が停まっていた。

車内で煙草をふかしていた金髪の美女――ベルモットは、ルームミラー越しに泥参会の動きを確認すると、フフフ……と不敵な笑みをもらした。

2

日売テレビのスタジオでは、朝のニュースバラエティ番組『朝生7』のワンコーナー、『沖野ヨーコの4分クッキング』の生放送が行われていた。

「どうでしたか？　沖野ヨーコの4分クッキング。本日のゲストは名探偵の毛利小五郎さんでした♥　ではではまた来週のこの時間に！」

人気アイドルの沖野ヨーコがエプロン姿でカメラに向かって手を振る後ろで、毛利小五郎は笑顔でラーメンをすすった。

「はい、ＯＫです！」

スタッフが声をかけると、コナンと一緒に見学をしていた蘭は拍手をした。

「よかったよ、お父さん」

ヨーコも「ホント！」と小五郎を振り返る。

「生放送なのに堂々とされていて、素敵でした」

「いやいや、失敗です」

険しい顔をした小五郎はそう言って、再びラーメンをすすった。

「ヨーコさん…あなたのあまりの美しさに麺が熱く興奮しすぎて、私が作った方の『ヨーコ風醤油ラーメン』はこの通り麺が伸びて、ノックアウト状態っスから〜！」

ナーハッハッハ……と豪快に笑う小五郎を前に、ヨーコが苦笑いする。

蘭の隣に立っているコナンも、くだらないオヤジギャグに顔を引きつらせた。

(伸びてんのはアンタの鼻の下だよ……)

心の中で突っ込むコナンに、蘭が「でもよかったね」と声をかける。

「祝日に『朝生7』の収録が重なって、生放送が見学できちゃったんだから」

「う、うん……」

返事をするや否や、コナンのお腹がグゥ〜……と鳴った。

「あら、そういえば朝食まだだったわね」

「よかったら、テレビ局の食堂でご一緒にいかがです？」

そう言って近づいてきたのはヨーコだった。小五郎が「おっ！　いいっスね！」と手を打つ。

「じゃあ、先に行って待っててください。毛利さんに会わせたい人がいて……今、呼んでみますから」

「はあ？　はぁ……」

ぽかんとする小五郎を前に、ヨーコはポケットから携帯電話を取り出した。

（……!!）

携帯電話のボタンを押すヨーコを見たとたん、コナンの頭をベルモットの姿がよぎる。

「あ、すみません、沖野です。寝てました？」

電話をかけているヨーコをコナンがじっと見ていると、ふいに蘭が視界に入ってきた。

「どうしたの？　コナン君」

「あ、ううん。なんでもないよ」

笑って答えたものの、コナンの心はどこかざわついていた。

（やべーな。誰かが携帯を使っているところを見ると、すぐにベルモットのことを思い出しちまう……）

ベルモットが携帯電話のボタンをタッチする姿が思い浮かぶと同時に、耳の中でリフレインするメロディー。

それは、コナンの体を薬で幼児化させた、黒ずくめの奴らがボスのメールアドレスを入力するときのタッチ音だった。一度聴いただけなのに、決して忘れられない音。

なぜなら、そのタッチ音は、有名な童謡『七つの子』のメロディーだったのだ。

――そのメールアドレスは、決して開けてはいけないパンドラの箱なんだから。

ふいに灰原の言葉が頭に浮かんで、

（へいへい、わかってるよ）

コナンは心の中でつぶやいた。

黒ずくめの奴らにとって〝音〟で暗記することでしか残すことが許されていないそのメールアドレスを下手に探れば、命を消されかねない――。

灰原はさっさとあきらめて忘れろと言ったが、そんな簡単にあきらめられるわけがない。

だから、携帯電話を使っている姿を見ると、思い出してしまうのだ。あの『七つの子』のメロディーを――。


小五郎は蘭とコナンを連れて、テレビ局の食堂で朝食を食べた。食後のコーヒーを飲んでいるところで、ようやくヨーコが女性を連れてやってきた。

「毛利さーん、お待たせしましたァ！」

ヨーコが連れてきた女性には、見覚えがあった。

「あれ？　あなたは確か日曜夜のニュースでよく画面の端にいる……」

「そう！　アナウンサーの水無怜奈さんです」

ヨーコに紹介された怜奈は「初めまして」と頭を下げた。黒髪を後ろで束ね、切れ長の目にすらりとしたスタイルの怜奈は、知的できりりとした印象の美女だ。

小五郎はネクタイを締め直し、コホンと咳払いをした。

「私が名探偵・毛利小五郎です」

「娘の蘭です」

蘭は自己紹介すると、コナンに目を向けた。

「コナン君です」

「こんにちは！」

「よろしく」

怜奈がにっこりと微笑むと、ヨーコが「ほーらっ」と肘でつつく。

「ちょっとヨーコちゃん。本当にあんなこと、名探偵に相談させるつもりなの？」

「大丈夫！　毛利さんならきっと力になってくれますから」

「でもねぇ……」

「何かお困りごとでも？」

小五郎がにやけ顔でたずねると、怜奈の代わりにヨーコが「はい！」とうなずいた。


「ピ、ピンポンダッシュ〰〰!?」

怜奈から事情を聞いた小五郎は、思わず声を張り上げた。

「その犯人を私に捕まえろって言うんスか？」

「ほら、やっぱり失礼よ」

怜奈が申し訳なさそうに言うと、ヨーコは「でも」と口を開いた。

「ただのイタズラじゃないみたいだし……」

「……と、言いますと？」

気が乗らない顔で小五郎がたずねる。

「あ、はい……いつも土曜日の早朝にされるので、今日こそは犯人を捕まえようと待ち構えていたんですが、チャイムが鳴ってすぐに扉を開けたら……人っ子一人誰もいなかったんです……それ以来、扉を開けるのが怖くなってしまって……」

「それって、アナウンサーさんが住んでるところ？」

子供のコナンにたずねられて、怜奈は「え？」と少し驚いた顔をした。

「ええ。杯戸町のマンションだけど……」

「よかったら毛利さんに家に来ていただいて、調べてもらったらどうですか？」

ヨーコの提案に、怜奈は「ええっ!?」と目を丸くする。

「私はこの後、仕事で行けませんけど……どうでしょう？　毛利さん」

ヨーコに訊かれて、考えごとをしていた小五郎は思わず「はいっ!?」と顔を上げた。


四階建てマンションの三階角部屋が怜奈の部屋だった。

コナンたちと訪れた小五郎は、部屋の前で共用廊下をキョロキョロと見回した。

「うーむ、扉の周辺には誰かが隠れられそうな場所はないようですな……」

扉の鍵を開けた怜奈が「ええ……」と振り返る。

「じゃあ、本当にチャイム鳴らして試してみない？」

コナンに言われて、小五郎たちは実際にチャイムを鳴らしてみることにした。部屋の中に怜奈が待機して、小五郎、蘭、コナンが共用廊下に出る。

「いーっスかぁ？　じゃあ鳴らしますよー」

小五郎が部屋の中の怜奈に声をかけて、チャイムを押した。

――ピンポーン。

ガチャガチャといくつもの鍵を開ける音がして、扉はすぐに開かなかった。小五郎が不思議そうに扉を見ていると、勢いよく扉が開いて、小五郎の顔面に直撃する。

「だ、大丈夫ですか!?」

「え、ええ、まぁ……」

涙目になりながら顔面を押さえる小五郎のそばで、コナンはにっこり笑った。

「でもこれで隠れる時間もほとんどないって、わかったね！」

「……ああ。じゃあとりあえず中で詳しい話を……」

「あ、はい。どうぞ」

怜奈に促されて、小五郎たちは「おじゃまします」と玄関に入った。

「あ、今スリッパを……」

スリッパを出そうとする怜奈に、コナンが「あっボク、スリッパいらないから」と声をかける。

「つたりめーだ！　ガキのくせに！」

小五郎はそう言うと、ちゃっかりスリッパを履いて、玄関を振り返った。

「しかし、すごい鍵の数ですなぁ」

「ホントだ！　四つもある」

蘭も扉を見て驚いた。先ほどチャイムを鳴らしたとき、すぐに扉が開かなかったのは四つの鍵を開けていたからなのだ。

「女の一人暮らしは物騒ですから……」

「まっ、そりゃそうっスな」

「何か飲まれます？」

「じゃあコーヒーを……」

「わたし、手伝います」

蘭たちがリビングに入っていくのを見届けて、コナンはポケットからチューインガムを取り出した。そして口に含みながら玄関の扉を開ける。

（チャイムが鳴ったときに玄関の音を拾えるように、一応盗聴器を仕掛けておくか）

メガネのつるの先端にある盗聴器を外してチューインガムにくるむと、さらにジャケットのボタンに貼り付けたシール状の発信器をガムにくるんだ。そしてしゃがんで、扉の外の壁にペタリと貼り付ける。

（ここなら後ですぐに回収できる。これでよしと……）

コナンが立ち上がったそのとき、背後から鋭い視線を感じた。

（！　今、誰かに見られていたような……）

しかし、共用廊下には誰もいないし、共用廊下の手すりの向こうには一軒家やマンションが建っているだけだ。窓はどこも閉じており、人影も見当たらない。

コナンが向かいのマンションを見つめていると、部屋の中から蘭が「コナン君」と呼んだ。

「ジュースでいい？」

「あ、うん」

「どうかしたの？」

「ううん、なんでもないよ」

コナンは部屋の中に入り、玄関の扉を閉めた。

（気のせいか。それとも……）


怜奈のマンションの共用廊下から見えるマンションの一部屋。

その窓際に、黒い人物が壁に背を向けて立っていた。

コナンが扉を閉めて中に入ると、黒い人物は窓から少しだけ顔を覗かせた。

通された部屋は壁に絵が掛けられた清潔そうな部屋で、大きな本棚の前にはコの字形にソファが置かれ、中央にテーブルがあった。窓側のソファに腰かけた小五郎は、出されたコーヒーを飲みながら、怜奈を悩ませているピンポンダッシュについて聞いた。

「ほぉー、ピンポンダッシュは二か月前からですか」

「ええ。その頃から毎週土曜日の朝六時半頃に……」

「二か月前に何かあったとか？」

小五郎がたずねると、テーブルをはさんで向かい合った怜奈は小首をかしげた。

「あったといえば、『朝生7』から日曜夜のニュース番組に担当が替わったくらいで、どちらもメインキャスターじゃありませんけど……」

「じゃあ、ヨーコさんとは『朝生7』で知り合ったんですか？」

向かい合う二人の横でコナンと並んで座る蘭の質問に、怜奈は「ええ」とうなずいた。

「その頃はヨーコちゃんも私も、同じ火・木・土曜日の担当だったから」

怜奈の答えを聞いて、小五郎はうむ、と顔をしかめた。

「そうだとすると、二か月前以前からイタズラされていたかもしれませんなぁ」

「はい。『朝生7』をやっていた頃の土曜は、いつも朝四時には家を出ていましたから……」

ジュースを飲んでいたコナンは「ねぇ」と話しかけた。

「二か月の間、ずーっとイタズラされてたの？」

「そうよ、土曜日はいつも」

と答えて、怜奈は「あ」と目線を上げた。

「でも、一回だけなかったことが……」

「え？」小五郎がやや前のめりになる。

「先々週は、月曜から金曜まで取材で海外に行っていたんですが、帰ってきた次の日の土曜日には何も起こりませんでした。疲れて眠っていたから、チャイムが聞こえなかったかもしれませんけど……」

そう言った怜奈は、また「あ」と何かを思い出したようだった。

「それと、十月の連休明けの火曜日にも同じイタズラが……火曜日にあったのはその日だけですけど、それに一回だけ扉の外に変な物が……」

「変な物？」

「何かの薬が入った瓶が置かれていたんです。後で知り合いの医者に調べてもらったら、それが睡眠薬だとわかって……」

「す、睡眠薬!?」と驚く蘭のそばで、小五郎は険しい顔をして顎に手を当てた。

「こりゃストーカーだな。多分それは、あなたを眠らせてよからぬことをやるぞという予告……」

「そ、そんな……！」

ストーカーと聞いて、怜奈の顔が青ざめた。

「他に何か変わったことはありませんでしたか？　睡眠薬が置かれていた他に」

「他には……」と考え込む怜奈を、小五郎がじっと見つめる。すると、怜奈は「あ！」と顔を上げた。

「一昨々日の晩、空室のはずの隣の部屋に、誰かがいたみたいなんです」

「なんですって⁉」小五郎がテーブルに両手をついて前のめりになった。

「一昨々日というと火曜日ですな？」

「はい。零時少し前頃、お風呂から出てベッドでくつろいでいたときに、隣の部屋の方から電話の音が聞こえてきたんです」

玲奈はそのときのことを詳しく話し始めた。

隣は空き部屋だったのでは……と思いながらベランダから見てみると、隣の部屋は真っ暗だった。じゃあ外から聞こえてきたのかと思ったが、前に建つマンションの部屋はどれも窓が閉じられ、明かりが消えている。不審に思いながらも窓を閉じると、共用廊下の方からガチャンと扉を閉める音がした。慌てて玄関に向かい扉を開けると、廊下を走り去っていく男の姿が見えた――。

「それで、朝になって管理会社に電話したんですが、『夢でも見たんでしょう』と言うばかりで……」

怜奈の話を聞いた小五郎は、うーん……と顎に手を当てて考え込んだ。

「どうも、その男がストーカーの可能性は高いですなぁ」

「え？」

「その男は隣の空き部屋の合い鍵を持っていて、一昨々日だけではなく主に金曜の夜、隣の部屋に泊まり、翌朝この部屋のチャイムを鳴らしていたんです」

小五郎の推理に、蘭が「そっか！」と声を上げる。

「隣の部屋なら、チャイムを鳴らしてもすぐに隠れられる……！」

「だからあなたは犯人を見つけられなかったんですよ」

小五郎が言うと、コナンは「ねぇ」と怜奈に話しかけた。

「隣の部屋っていつから空いてるの？」

「多分、半年くらい前からだと思うけど……」

小五郎たちは部屋を出て、隣の空き部屋に向かった。

玄関ドアの取っ手に手を掛けてみるが、鍵がかかっていて開かない。

「やはり鍵がかかってますな。中に入ればその男の手がかりが見つかるかもしれないと思ったんですが……」

「管理会社に電話して、開けてもらったら？」

蘭の提案に、怜奈は眉を寄せた。

「でもこの前の感じだと、取り合ってくれないかも……」

三人が扉の前で話し合っている隙に、コナンは一人で部屋に戻り、靴を持ってベランダに出た。そして柵のそばに置いてあった台に上り、仕切り板をよじ登って隣のベランダに着地する。

隣のベランダからは、植栽された樹の間から向かいに建つマンションの一部屋の窓が見えた。カーテンが開かれた窓の向こうでは、若い女性が窓際に置かれた机に向かっている。

コナンは隣の部屋の掃き出し窓に手を掛けた。しかし、鍵がかかっていて開かない。

(ダメか)

窓から手を離したコナンは、隣の腰高窓まで移動して、つま先だって部屋を覗いた。部屋の中は何もなく、がらんとしている。掃き出し窓からも覗いてみたが、同じだった。

（……ん？）

ふと掃き出し窓の下の方を見ると、何やら文字のような落書きがうっすらと残っていた。部屋の中から指で書かれたものだろうか。ベランダ側から見ると、文字が反転している。

〝木　美　味〟

（き・み・わ……？）

コナンは窓ガラスの文字をメモに書くと、仕切り板をよじ登って怜奈の部屋に戻り、玄関を出て共用廊下にいる小五郎たちにメモを見せた。

「木・美・和……？　なんじゃこりゃあ……」

「なんだろう、木・美・和って……？」

メモを見た小五郎と蘭が、文字を読んで考え込む。

(び……?)

コナンは二人の読み方が自分とは違うことに気づいた。

(なんでオレ、『み』って読んだんだ?)

『美』は『み』とも『び』とも読めるが、一文字だけ見たら『び』と読む人の方が多いのかもしれない。それなのにコナンは、直感的に『み』と読んだ。一体なぜ——……。

「木・美・和……木曜、美女、和食……」

そう言ってう〜ん、と考え込んだ小五郎は、怜奈にメモを見せた。

「怜奈さん、そんなキーワードの番組をやっていませんか?」

いいえ、と答えた怜奈は、メモを指差した。

「それより、それって人の名前じゃないかしら?」

(人の……? 人の名前?)

怜奈の言葉を受けて、コナンはあらためて『木・美・和』の文字を頭に浮かべた。そして、あっと気づく。

警視庁・捜査一課。目暮十三警部のデスクで電話が鳴った。

「はい、捜査一課、目暮……おぉ、コナン君か！」

電話をかけてきたのはコナンだった。

「ん？　ああ……えっと、いるようだな。ちょっと待ってな」

えっと……と、目暮は慣れない手つきで保留ボタンと内線ボタンを押す。すると、目の前で他の刑事たちと話している高木渉巡査部長のデスクで、電話が鳴った。

「はい、高木です」

高木が電話を取るやいなや、目暮が「高木君！」と呼ぶ。内線電話をかけておいて直接呼んだのでは、電話をかける意味がない。

「警部、教えたじゃないですか、内線……」

受話器を持った目暮は、ハッハッハーと笑った。

「まぁいいじゃないか。おっと、それより高木君に1番。コナン君からだ」

「え、コナン君から？　なんだろう……」

高木が電話機の1番ボタンを押すと同時に、近くで交通課の女性警官と話していた佐藤美和子警部補が「コナン君？」と振り返る。


怜奈の部屋では、コナンが小五郎たちの前で高木刑事に電話をかけていた。

「あ、高木刑事？　ちょっと聞きたいことがあるんだけど、一昨々日の夜、杯戸町にあるマンションの305号室に入らなかった？」

電話の向こうで『えっ？』と高木が驚いた声を出す。

『あ、ああ……確かに入ったけど……』

「どうしてその部屋に入ったのか、理由が知りたいんだけど」

『ん？　理由？』

やや間があって、『それは、ちょっと……ねぇ』と言い渋る。

ベランダに通じる窓のそばに立ったコナンは、窓に手をついて向かいのマンションを見た。

「もしかして高木刑事、向かいのマンションの部屋を張り込んでたんじゃない？」


「えっ!?」

コナンと電話をしていた高木は、思わず大きな声を出した。自分のデスクで書類に目を通していた目暮が「どうかしたかね？」と顔を上げる。

「あ、いや別になんでもないです」

高木はそう答えると、その場にしゃがみこみ、受話器を手で覆いながら話し出した。

「実はそうなんだ。その部屋の窓から見えるマンションの部屋に、ある事件の容疑者の元婚約者が住んでいてね。その容疑者が接触する可能性があったんで、管理会社に頼んで張り込みをさせてもらったんだ……」

『やっぱりそうか』

「えっ⁉　やっぱり？」

コナンの言葉に驚きつつも、高木は話を続けた。

「あ、結局その容疑者は鳥矢町で拘束されたために、夜中のうちに張り込みを解いたんだけど……。捜査上のことなので管理会社には他言しないようにって頼んどいたはずなのに
……なのに、どうして僕が張り込みをしていたことがわかったんだい？」

『高木刑事。張り込んでいる間、ガラス戸にイタズラ書きしたでしょ？〝高木美和子〟ってね』

「ええっ⁉」

驚きのあまり、高木はさらに大きな声を上げた。

「なんなんだね、高木君」

目暮が書類から顔を上げ、

「高木君……」

「どうしたの？」

美和子と交通課の警官、宮本由美が怪訝な目を向ける。

「あぁ、すみません……！」

立ち上がって頭を下げた高木は、再び机に隠れるようにしゃがみ込んで、小声で言った。

「コナン君。今のこと、彼女には黙っててくれないかな。頼むよ！」

『うん、いいよ。わかった』

コナンの無邪気な声に、高木がホッと胸をなでおろしたのもつかの間、

『でも、ここには蘭姉ちゃんと小五郎のおじさんもいるけどね』

「ええ――っ!?　そんな~~~!!」

フロア中に響き渡るような声を上げると、

「高木ィ!!」

目暮の怒声が飛んできた。

高木との通話を切ったコナンはソファに座り、隣の部屋のガラス戸に書かれた落書きの

真相を小五郎たちに説明した。

「つまり高木刑事は、容疑者の元婚約者を張り込んでいる間、つい佐藤刑事のことを思い出して、彼女が自分と結婚したら……って、その名前をガラス戸に書いちゃったんだ……で、その直後に『容疑者が捕まったんですぐに戻ってこい』っていう電話を目暮警部からもらって、急いで出て行ったんで、ガラス戸に書いた名前を消し忘れちゃったんだって」

「そっか！」

コナンの説明を聞いて、蘭は『高木美和子』の文字を思い浮かべた。

「それで三日間の間に『高木』の『高』と『美和子』の『子』の字が消えちゃったのね」

小五郎が「なんでェ～」とソファの背にもたれかかる。

「つたく、人騒がせなヤローだ！」

「でも高木刑事らしくて、いいじゃない」

蘭が言うと、怜奈も「ホント！」と同意した。

「その方、刑事さんに似合わず、なんかカワイイって感じ」

「ですよね」

怜奈と蘭が顔を見合わせて微笑む。二人に挟まれたコナンは、苦笑いした。張り込み中に落書きするなんて、刑事にあるまじき行為だと思うのだが……。

「でも、これでまた振り出しに戻っちゃったね」

コナンが言うと、怜奈は「あぁ、ええ……」と浮かない顔になった。

「明日は問題の土曜日なのに……」

「……こうなったら、現行犯で捕まえるしかないな。——怜奈さん」

腕組みをして考えていた小五郎は、ふいにソファから立ち上がった。

「あ、はい」

「今晩、我々をここへ泊めてください。明朝、この毛利小五郎が、その不届き者をふん縛ってみせましょう！」

自信たっぷりの小五郎に、怜奈は安堵の表情を浮かべる。一方、コナンと蘭は予想外の言葉に驚いて顔を見合わせた。

怜奈の家に一晩泊まることになった蘭は、怜奈に借りた部屋着に着替えて廊下に出てきた。すると、玄関ホールで怜奈が雑誌や新聞をまとめていた。

「あ、片付けなら手伝いましょうか」

「気にしないで。明日は資源ゴミの日だから、不要になった雑誌や新聞を紐でくってまとめてるだけだから。仕事柄、目を通す雑誌や新聞が多くて……」

「ほぉ～、片付けですか」

小五郎もコナンと一緒にリビングから出てきて、本の束に目を向けた。

「『ジキルとハイド』かぁ！　なつかしいっスな～」

と一番上にあった本を手に取って、パラパラとめくる。

「わたし、中学のときに読んですごい怖かった。コナン君、知ってる？」

蘭に訊かれて、コナンは「うん」とうなずいた。

「温和な性格のヘンリー・ジキル博士が、自分の発明した薬を飲んで、邪悪な性格のエドワード・ハイド氏になっちゃう二重人格の話でしょう？」

「うわァ、詳しいのね」

怜奈にほめられたコナンは、エヘへと嬉しそうに微笑んだ。

「コイツ、ガキのくせに妙なことばっかり知ってるんスよ～」

小五郎は笑いながらコナンの頭をつかんで、上下に動かした。その様子を見て、怜奈が苦笑いする。

雑誌や新聞をまとめ終えた怜奈は、玄関の扉を開けて、共用廊下に紐でくくった雑誌を置いた。コナンと蘭も残りの束を持って、外に出てくる。

「どうもすみません」

「いいえ。いつもここに出しているんですか？」

蘭がたずねると、怜奈は雑誌の束を重ねて「ええ」と振り返った。

「ここに置いておけば朝出かけるときに忘れずにゴミ置き場に出せるでしょ？」

「あぁ、なるほど」

「それにここは角部屋だから、一晩だけなら邪魔にならないしね」

怜奈の言うとおり、この先は行き止まりなので、夜の間は誰も通らないだろう。

ゴミの日の前夜に怜奈が玄関前にゴミを置くのを知ったコナンは、ある考えがふと頭に浮かんだ。

「もしかして、火曜日もゴミの日？」

「ええ。燃えるゴミの日よ。そのゴミも前の日にここに出して置いてるけど……」

(……なるほど。そういうことか)

コナンは玄関前に積まれた雑誌や新聞紙の束を見つめた。そして「ねぇ」と怜奈に話しかける。

「もしも犯人がわかっても、あんまり怒らないでくれる？」

「え？」

「きっとお姉さんの大ファンだから」

「!?」

怜奈が驚いていると、玄関ホールにいた小五郎は冷めた目でコナンを見た。

「そりゃあそうだろーよ。ストーカーなんだからよっ！」

と部屋に戻っていく。

コナンは再び鋭い目つきで、自分の背丈の半分ほどに積まれた雑誌や新聞紙の束を見つめた。

3

翌日の早朝。

小五郎はモップを片手に玄関ホールで眠り込んでいた。

「起きて、おじさん。おじさん！」

怜奈と共に起きてきたコナンが声をかけると、小五郎はようやく目が覚めて、ふぁ〜っと大きく口を開けてあくびをした。

「おじさん、そろそろ時間だよ」

コナンが言うやいなや、ピンポーンとチャイムが鳴った。

「来た……！」

蘭も部屋から出てくる。

「怜奈さんはそこにいてください！」

小五郎はそう言って玄関ドアに向かう。

「ヤロォ！　今とっつかまえて目にものを……」

ドアガードや鍵を次々と開けて勢いよく外に出たが――誰もいない。扉の陰にも共用廊下の先にも、人の姿はない――。

「ありっ……？」

「お父さん……？」

蘭が声をかけると、小五郎はアハハ……と苦笑いしながら振り返った。

「だ、誰もいねぇんだ……」

「えっ⁉　ウ、ウソ‼」

蘭も玄関から顔を出して、共用廊下をキョロキョロと見回した。しかし、扉の陰にも、まっすぐで見通しのいい共用廊下にも人っ子一人いない。

「ウソでしょ⁉　信じられない！　まさかどうして⁉　ねぇ、お父さん‼」

「し、知らねぇよ‼」

玄関で呆然と外を見ている二人の間を、コナンはスッと通り抜け、扉の前に積まれた雑誌と新聞紙の束の横に立った。そして「いるよ。ここに」と雑誌と新聞紙の束を指す。

「いるって……それ雑誌じゃねーかよ！」

「コナン君……」

「だから、この裏に」

コナンが言うと、小五郎たちは廊下に出てきた。

「バーカ！　大の大人がそんな所に隠れられるわけが……」

と、小五郎が雑誌の束の裏を見てみると、コナンくらいの男の子がひざを抱えて座っていた。

「こ、子供――ッ⁉」

「えぇ⁉」

「コノォ〜〜〜ッ!!」

小五郎はいきなり男の子の胸倉をつかんで引っ張り上げた。

「てめぇか！　ピンポンダッシュの犯人はァ!!」

小五郎の怒声を浴びた男の子は、涙をうかべて、怯えた目で小五郎を見ている。

「そっか。子供だから見つからなかったんだ」

「まさか、そんな所に人が隠れてるなんて思わなかった……」

驚いている蘭と怜奈の前で、小五郎は「なるほど……」と男の子の胸倉から手を離した。

「先々週の土曜日だけやらなかったのは、玄関前に雑誌の束が置いてなかったからだな。その週、彼女は取材で家を空けてて、捨てる雑誌はほとんどなかっただろーからな！」

そう言って腰を下ろした小五郎は、男の子をギロリとにらみつける。

「おい！　どういうつもりだ!?　なんでこんなことをした？　オメー、どう見ても小学生だろーが!!」

いつの間にか男の子の目から涙は消えていた。困ったような表情で、小五郎をじっと見つめる。

「……まぁ言わねぇなら仕方ねーなぁ！」

しびれを切らした小五郎は、男の子を乱暴に片手で抱きかかえて歩き出した。

「警察で親共々こってり絞って――」

「チャイムを鳴らしたのは、起こそうとしてたんだと思うよ」

「あぁ？」

男の子を抱えた小五郎が立ち止まる。

「あのお姉さんが『朝生7』に間に合うようにね！」

コナンは怜奈を指差した。「えっ？」と驚く怜奈を、小五郎と蘭が振り返る。

「きっとこの子は『朝生7』にお姉さんが出なくなったのは、朝寝坊してるからだと勘違いしてたんじゃない？　だからチャイムを鳴らすのは六時半で、土曜日だったんだよ。土曜日は学校が休みだから、チャイムを鳴らした後、急いで家に戻れば、『朝生7』に出てるかどうか確かめられるしね！」

コナンの説明を聞いて、小五郎は抱きかかえた男の子を見た。

「だけど、一回だけ火曜日にあったらしいじゃねぇか！　まさかテメー、学校さぼって！」

怜奈は、十月の連休明けの火曜日にもチャイムを鳴らされたと言っていた。火曜日なら学校があるはずだ。

「休みだったと思うよ。十月の連休は第二月曜日がスポーツの日。もしもその連休に運動会があれば、連休明けの火曜日は普通、小学校じゃ休みになるからね」

「じゃあ……睡眠薬はお姉さんにぐっすり眠ってもらって早起きしてもらうためだったのね？」

蘭がたずねると、廊下に下ろされた男の子は「うん」とうなずいた。

「お母さんがよく寝られるって、飲んでいたから……」

「そぉ……」

すると、それまで玄関で黙って聞いていた怜奈が廊下に出てきて、男の子の前にしゃがんだ。

「でも、どうしてなの？　なんでそんなに私を？」

「……似てたから」

うつむいていた男の子は顔を上げ、正面の怜奈を見つめた。

「母さんに似てるから。ボクの母さん、去年、交通事故で死んじゃったから……」

「え？」

「だから……だからボク……」

男の子は目に涙を浮かべていた。小刻みに震わせる小さな肩を、怜奈の手が優しく包み込む。

「ボウヤ。お母さんがいなくて寂しいのはわかるけど、いつまでもお母さんにしがみついてたら、お空にいるお母さんを心配させるだけよ。強くなって、お母さんを安心させてあげなさい」

涙をこらえるように小鼻をヒクヒクさせる男の子に、怜奈は優しく語りかけた。

「だからもうここへは来ちゃダメ。お母さんのためにも、ボウヤのためにも……わかった？」

「う、うん……」

男の子は目にためた涙を腕で拭くと、にっこりと微笑んだ。

「バイバイ、お姉さん！」

晴れ晴れとした表情で、廊下を駆けていく。階段の前で立ち止まって大きく手を振り、下りていった。

「……バイバイ」

男の子の後ろ姿につぶやいた怜奈の目に、うっすらと涙が浮かぶ。蘭が怜奈の涙に気づくと、怜奈は慌てて涙を手で拭った。

「昔……私にもあれくらいの弟がいたから……」

しんみりとした声に小五郎たちが黙っていると、突然、怜奈は「あ」と手を叩いた。

「それより探偵の依頼料をお支払いしないと」

「いやぁ、いいっスよ。夕飯をご馳走になりましたし」

「でも、気持ちだけでも……」

「そ、そおっスかぁ？　じゃあ後で口座番号を携帯にメールしますから、あなたのメールアドレスを……」

小五郎は手をこすり合わせながらナハハ……と笑う。

（おいおい）

仕事にかこつけてメールアドレスを聞き出す小五郎に、コナンはあきれて苦笑いした。

「つたく、なんともしけた事件だったなぁ」

怜奈のマンションを出て駐車場へ向かう途中、小五郎がぼやいた。

「でもよかったじゃない！　変なストーカーじゃなくて」

小五郎と蘭の後ろについてコナンが歩いていると、ポツンと肩に雨粒が落ちた。見上げると空はいつの間にか厚い雲に覆われ、雨がポツポツと降り出してきた。

そのとき、コナンの耳元でザザッという音がした。それは、犯人追跡メガネに搭載された集音器から聞こえてきた音だ。

（や、やべっ！　盗聴器、回収してねぇ!!）

コナンは、ガムにくるんだ盗聴器と発信器を怜奈のマンションの壁に貼りっぱなしだったことを思い出した。

「あぁっ!!」

コナンの大声に、前を歩いていた小五郎と蘭が立ち止まって振り返る。

「どうしたの？　コナン君」

「ボク、さっきのお姉さんの部屋に忘れ物しちゃったみたいなんだ！」

「んあぁ？　ったく……」

あきれる小五郎に、蘭が「お父さん、先に行ってて」と声をかける。

「私、コナン君と……」

「あぁ！　ボク、すぐ取ってくるから!!」

コナンはついてこようとする蘭を振り切るように駆け出した。

「コナン君！　じゃあ駐車場で待ってるね！」

蘭の声を背中に受けながら、コナンは人々の間をすり抜けるように走る。

その耳に、コツ、コツ……と固い床を歩く音がメガネの集音器から聞こえてきた。

（靴音がするってことは、水無さんが踏んじまったんだな……）

ガムにくるんだ盗聴器と発信器が何かの拍子に壁から落ちて、共用廊下を歩く怜奈の靴の裏にくっついてしまったんだろう。

――ピロン。

そのとき、靴音と共に電子音が鳴った。

（ん？　携帯電話の起動音……？）

コナンが気づくと同時に、今度は携帯電話のタッチ音が聞こえてきた。

――ピ・ポ・パ・ポ……。

その聞き覚えのある音に、コナンは一瞬凍り付いた。

（な、七つの子……!?）

犯人追跡メガネの集音器から聞こえてくるタッチ音は、まぎれもなく『七つの子』のメロディーだった。

(ま、まさか。まさか、あの人……)

コナンの脳裏に黒ずくめの組織が思い浮かんだとたん、集音器から携帯電話の着信音が聞こえてきた。

ピッと操作音がして、『はい』と電話に出る怜奈の声がした。

『ああ、ごめんなさい。ちょっとトラブルがあって、携帯の電源切ってたの。……大丈夫。他愛ないトラブルだったから……そのことを今、あの方にメールで伝えたところ』

(まさか……まさか……!)

コナンは走りながら、メガネのつるにあるスイッチを押した。左レンズのレーダーに、赤い点が点滅する。

『ええ、問題ないわ。予定通り、十時に落ち合いましょう……ジン』

(何ッ……!?)

その名前を聞いて、コナンは思わず立ち止まった。
今、怜奈は間違いなく『ジン』と言った。電話の相手は、あの『ジン』なのか。
遊園地でオレに毒薬を飲ませた、黒ずくめの組織のメンバー『ジン』――。
(ど、どうして……!!)
コナンは全身の神経に動揺を感じた。
水無怜奈は、組織の仲間だった――。
まさかこんな思いがけないところで、組織の仲間を見つけるとは……!!
足を止めていたコナンは、すぐに走り出した。
動揺している場合じゃない。ジンと落ち合う約束をしている怜奈を追わなければ……。
コナンは走りながらポケットから携帯電話を取り出し、阿笠博士に電話をかけた。

4

『な、なんじゃとォーッ!? それは本当なのか、新一君!!』

「ああ、間違いねぇ! 黒ずくめの奴らの仲間を見つけたぜ。恐ろしいほどの偶然が重なってな!」

そのとき、メガネの左レンズに映っている赤い点が突然動き出した。

(やべっ! 発信器の移動速度が速まった! 車に乗りやがったな……!!)

「博士! とにかく急いでビートルでオレを拾ってくれ! もちろん灰原には気づかれるなよ!!」

『あっ、ああ……。で、新一君、今どこにいるんじゃ?』

「オレが今いるのは杯戸町の……」

歩道を走りながら答えていると、正面から一台の外車が走ってくるのが見えた。運転席に乗っているのは――水無怜奈だ！

（逃がすかよ……!!）

駐車場に着いた蘭は、車に乗ってコナンが戻ってくるのを待っていた。するとしばらく経って、コナンから電話がかかってきた。

「あ、コナン君？　忘れ物、見つかった？　――えぇーっ!?」

「なんだ、どうした？」

運転席で煙草をふかしていた小五郎がたずねると、蘭は携帯電話の送話口を手で押さえて言った。

「コナン君、博士と偶然会って、これからトロピカルランドへ行くことになったんだって」

「よせよせ、雨が降ってんのによォ。何考えてんだァ？」

小五郎は怪訝そうな顔で、車の外を見た。結構な雨が降っている。

「じゃあ帰るとき、また電話するね」

コナンが通話を切ると、阿笠博士が運転するビートルが目の前に停まった。すばやく助手席に乗り込む。

すると、後部座席に灰原哀が乗っていた。灰原には気づかれないように、と阿笠博士に注意したはずなのに――。

どうやら灰原は、電話を受けた阿笠博士と同じリビングにいて、ピンと来たらしい。

「……なるほどね」

コナンが仕方なく事情を説明すると、灰原は落ち着いた声で言った。

「偶然知り合ったアナウンサーに事件の依頼を受け、彼女の部屋へ行き、あなたが調査のためにチューインガムで壁に取り付けた発信器と盗聴器がはがれ、偶然彼女の靴の裏にくっついて……、その彼女がこれまた偶然、彼らの仲間だったわけね」

コナンは、ハァ……とため息をついた。

「……って、おい博士！　灰原は連れてくるなって言っただろっ⁉」

「そ、そう言ってものォ……」

ハンドルを握った阿笠博士は、ハハハ……と苦笑いする。

灰原は気にも留めることなく「で？」と言った。

「その水無怜奈っていうアナウンサーが彼らの仲間だっていうのは、確かなんでしょうね？」

「ああ……」コナンはメガネの左レンズに映るレーダーを見ながら答えた。

「奴らのボスのメールアドレスに送信してたし、その後からかかってきた電話の相手をこう呼んでた……『ジン』ってな」

「‼」

灰原はギョッとしたように息をのんだ。

「し、しかしラッキーじゃったのォ。偶然が重なって奴らのシッポをつかめるとは……」

阿笠博士が言うと、コナンは「いや、その逆」とすぐに否定した。

「え？」

「逆だ。最悪だよ。よく考えてみろ！　もしもその発信器と盗聴器が奴らに見つかれば、当然誰が仕掛けたんだってことになる……そして真っ先に疑われるのは、ついさっきまであのアナウンサーの部屋にいた探偵・毛利小五郎だ」

「おいおい、まさか……」

嫌な予感を抱く阿笠博士に、コナンは「ああ」と応じる。

「たとえそれが彼女に依頼された調査のために、おっちゃんが取り付けた物と思われたとしても、奴らの会話の内容を聞かれたかもしれないという可能性は否めない。そうなっちまうと、おそらく奴らは……」

コナンが言いかけたところで、先回りするように灰原が言った。

「口封じにかかるでしょうね。毛利小五郎の。そして必要とあらば、彼の周りの人間も一人残らず」


「そ、そんな……！」

青ざめる阿笠博士を見て、コナンは苦し気に口の端を持ち上げた。

「つまり、盗聴器から奴らの情報が入ってくればくるほど、おっちゃんやオレたちの首も確実に絞まっていくってわけだ」

「じゃ、じゃあ奴らに気づかれる前にそれを早く回収せんと……」

「でも腑に落ちないわね」

軽くうつむいていた灰原が、目を開けて前を向いた。

「そのアナウンサーが毛利探偵に依頼したのって、ピンポンダッシュの犯人捜しだったんでしょ？　しかも犯人は子供。彼女が彼らの仲間なら、そんな事件……」

「ああ」コナンは後部座席をチラリと見た。

「オレもそこが引っかかっていたんだ」

そのとき、メガネのレーダーで点滅する赤い点が、その移動するスピードを落とした。

「発信器の移動が遅くなった……」

さらに、集音器から聞こえてくるエンジン音がこだましている。

「エンジン音が反響してるってことは……どこかの屋内駐車場に入ったな」

「じゃあ、その建物のどこかで彼女は奴らと——」

コナンが「シッ」と人差し指を口に当てると、阿笠博士は慌てて口を手で覆った。

「何かが近づいている。車か……？」

コナンは耳を澄まして、集音器から聞こえてくる音を慎重に聴いた。ゆっくりと駐車場内を進む怜奈の車とは別に、車の音が聞こえてくる。

——ドルッ、ドルッ、ドルッ……。

「この独特の不等長なアイドリング音……」

——ブォン、ブォン、ブオォン……。

「そしてこのレスポンスのいい噴け上がりは、水平対向のエンジン……」

コナンの声を聞いて、阿笠博士はピンと来た。

「おい、まさか……」

「あぁ……こいつを積んでいるのはたいがいワーゲンかスバルか、奴の愛車——ポルシェしかねーぜ!!」

その車名を聞いて、灰原はおびえた目で座席に身を縮めた。

5

人気のない屋内駐車場で、エンジンをかけたまま停車していたポルシェ３５６Ａは、怜奈の車が入ってくると、その後を追うように進み出し、二台の車は横並びに停車した。左ハンドルの怜奈が運転席の窓を開ける。ポルシェの助手席に座ったジンは、煙草をくわえながら横目で怜奈を見た。

「どうした、キール。約束は十時のはずだぞ」

「ごめんなさいね。気になる車がついてきていたから、念のためにまいてたのよ」

集音器で怜奈とジンの会話を聞いていたコナンは、ハッとした。

（まさか、オレたちの車⁉）

道路を走るビートルの中で、コナンは左レンズのレーダーを見た。

（いや、車間は６００メートル以上空いている。そんなはずはない）

『問題はねぇんだろうな……？』

『ええ……ただの思い過ごし。だからドア越しに構えているそのベレッタ、サヤに納めてくれない？』

どうやらジンはこっそり怜奈に拳銃を向けていたらしい。

『妙な勘繰りで私を撃てば、ＤＪは殺れないいんじゃなくて？』

怜奈の言葉に、コナンは眉をひそめた。

（ＤＪ……⁉　ＤＪだと？）

それは初めて聞く名前だった。何かの略なのか、暗号なのか――。

『まあいい。このビルの５００メートル四方には我々の目が届いている。妙な車が近づけば、すぐにわかるだろうからな』

ジンの声を聞いて、コナンはすぐに「博士」と声をかけた。

「ゆっくり車を路肩につけてくれ」

「え？」

「停まったらフードを被って外に出て、車の調子を見てるふりをするんだ。早く‼」

「あ、あぁ……」

博士は車を路肩につけると、ジャケットのフードを被って外に出た。そして車の後ろに回り、エンジンルームを開ける。


拳銃を懐にしまったジンは、前を向いたまま怜奈に言った。

「じゃあ最終確認だ。言ってみろ」

「時間は十三時……場所はエディP……。インタビュアーの私は、DJを例の位置に誘導する……」

怜奈も前を向いたまま独り言のように答えていると、その隣に紺のダッジ・バイパーが停まった。

「そうそう。待ってるよ、キール」

運転席に座った女が、怜奈に声をかける。

茶髪のショートボブに前髪を短くそろえたその女は、左目周りに蝶のタトゥーを入れ、唇には紫の口紅を塗っている。

「アタイのこのスコープのど真ん中に、獲物を突っ込んで興奮させてちょうだいね♥」

とライフルのスコープを掲げて、キャハ！　と笑う。怜奈はバイパーの車内を見て、フッと微笑んだ。

「あら、キャンティ……コルンも一緒ね。頼もしいわ」

バイパーの助手席には、黒いキャップにサングラスをかけた面長の男が座っていた。

（キール、キャンティ、コルン……何人いやがんだ⁉）

路肩に停めたビートルの中で、ジンたちの会話を盗聴していたコナンは、新たに現れた仲間に驚いていた。

『頼りにしてるわよ。私たちの功績は日の目を見ることはないけれど、失敗はすぐに知れ渡ってしまうんだから』

怜奈の声に続き、ジンらしき人物のフッと笑う声が聞こえてきた。

『成功しても失敗しても世間に知れることはない。それが組織のやり方だ』

『あぁ……そうだったわね』

すると、今度は別の女の声が聞こえてきた。

『さあ、そろそろ時間よ。さっさと片付けて、私の出番はなくしてくれる？』

その声の主を、コナンは知っていた。

(ベルモット——!!)


「ちょっと何さ!!　なんで!?」

キャンティは突然車のドアを開けて後ろに回り、ベルモットがいるポルシェの後部座席の窓を叩いた。

「なんでこの女がいるわけ!? 聞いてないよ！ カルバドスを勝手に連れ出して見殺しにしたこの女が計画に加わるなんて!!」

「車に戻れ、キャンティ。ベルモットは万が一のためだ」

ジンに言われたキャンティは、クッと窓から顔を離した。

「でもねぇ――」

「これは、あの方の命令でもあるんだぜ」

あの方――そう言われたら、キャンティは引き下がるしかなかった。チッと舌打ちして、車に戻る。

ベルモットは細長い煙草を口にくわえ、ライターで火をつけた。

「それにしても場所が『エディP』だなんて、まさに狩り場にはうってつけってところかしら」

ポルシェの運転席に座っていたウォッカが「え？」と振り返る。

「どういう意味ですかい？」

ベルモットは、ウフフ……と笑った。

「少しは向こうの歴史も勉強することね、ウォッカ」

「あ、あぁ……」

前を向いたウォッカは、その大きな体を縮める。黙っていたジンが、口を開いた。

「それより……問題は外の雨だ」

『大丈……予報じゃ……前に……上が……そう……から……』

それまでクリアに聞こえていたジンたちの会話が、突然ノイズが入って聞き取りにくくなった。

雨が強まったせいで、電波が減衰してしまったのだ。

（くそっ！）

コナンは会話を聴くのをやめ、後部座席を振り返った。

「灰原、わかるか？　『DJ』って誰なんだ!?」

「え？」

「『エディP』ってどこなんだよ!?　奴らが言ってたんだ。何かの暗号なんだろ!?」

「さぁ……」

突然質問された灰原は、きょとんとした目を向けた。

「……『DJ』はわからないけど、『エディP』が場所なら……Pは駐車場か公園じゃないかしら」

「じゃあキールにキャンティ、コルンって奴、知ってるか!?」

「……キールは覚えがないけど、キャンティとコルンは聞いたことがあるわ。腕利きのスナイパーってね……」

(じゃあ、やはり奴らは誰かの暗殺を……)

コナンが前を向くと、灰原が身を乗り出した。

「ねぇ！　どういうこと!?　まさかその二人もそこにいるの!?」

コナンは再び集音器に耳を傾けた。しかし、ザザザ……とノイズが入るだけで、会話は聞こえてこない。

（くそっ！　情報が足りねぇ！　もっと近づかないと……）

左レンズのレーダーを見ると、発信器の場所はここから北北西５８０メートル先だ。

コナンはダッシュボードに手をかけて、フロントガラスから外を見た。強い雨が降る中、正面にはいくつものビルが建ち並ぶ。

（あのビルの地下駐車場だな）

目星をつけたコナンは、助手席のドアを開けた。

「灰原は博士とここで待ってろ！」

「ちょ、ちょっとどこへ――」

「いいから待ってろ!!」

ドアを勢いよく閉めたコナンは、ビルを見ながら反対方向に駆け出した。すると、ドンッと誰かにぶつかる。

「そこまでよ」

目の前に突き付けられたのは、手を入れたコートのポケットだった。まるで拳銃を持っているような膨らみ――。

「!!」

コナンが大きく目を見開くと、膨らんだポケットがスッと下がった。

「ハァ~イ!」

どこか場違いな陽気な声に驚いて顔を上げると――ジョディ・スターリングが傘を差して目の前に立っていた。

「クールキッド♥　ダーン♪」

とポケットに入れていた左手を出して、撃つ真似をする。手に持っていたのは、携帯電話だった。

「ジョ、ジョディ先生?」

エンジンルームを覗いていた阿笠博士も驚いていると、ジョディは後部座席の窓に近づき「ハーイ♪」と灰原にピースサインした。灰原も、阿笠博士も、コナンも、きょとんとした顔でジョディを見つめる。

「……どうしてここへ？」

「私たちＦＢＩも、彼女に目を付けていたのよ。ベルモットがドクター新出になり済ました直後から、頻繁にあの病院に通っていた、あの水無怜奈っていうアナウンサーをね……でも驚いたわよ……彼女を張り込んでいたら、毛利探偵たちが彼女の部屋へ入っていくんだもの」

「え？　じゃあ、あれは……」

コナンが怜奈の部屋の前で感じた、誰かに見られているような鋭い視線は――。

「そう！　あれは私でーす！」

ジョディはにっこりと笑った。

「そしてそれが子供のイタズラ事件の依頼だとわかって、彼女はシロだと踏んで張り込みを解除しようとしたときに、あなたが怖い顔で引き返してきたのを車から見て、これは何かあるなと彼女の追跡を続行したわけ。まぁ、彼女が私の車をまこうとしてるとわかったから、深入りせずに追跡をあきらめたんだけどね……」

そうか――ジョディの説明を聞いて、コナンは怜奈がジンに言った言葉を思い出した。

――ごめんなさいね。気になる車がついてきたから、念のためまいていたのよ。

（あれはジョディ先生の車だったんだ……）

ジョディは差していた傘を、コナンに向けた。

「あなたも彼女の車を見失っちゃったんでしょ……後はＦＢＩに任せて、あなたは帰りなさい」

「〝あなたは〟って……当てがあるの？」

コナンがたずねると、ジョディは「詳しくは話せないけど……」と前置きして、話し始めた。

「彼女、今日ある三人にインタビューするらしいのよ……もしかしたら、三人の中の誰かに奴らの息がかかってる人がいて、何かの取り引きか情報交換がされるんじゃないかと思ってね」

「いや、取り引きなんかじゃない」

コナンはすぐに否定した。

「奴らはその三人の誰かを、今日の午後一時に暗殺する気だよ！」

「え!? どうしてそんなことを──」

「偶然、彼女の靴の裏に発信器と盗聴器がついちゃって、それをこの追跡メガネの集音器で……」

コナンが説明しながら犯人追跡メガネのスイッチを押すと、左レンズのレーダーに表示された赤い点が動き出していた。

(やばっ……近づいてくる！)

「乗って!!」

コナンはジョディの袖口を引っ張った。

「博士も早く乗って!!」

「あ、ああ！」

阿笠博士はエンジンルームを閉めて、慌てて運転席に向かった。

ジョディとコナンが後部座席に座り、阿笠博士が運転席に滑りこんでドアを閉めると、
怜奈の車が反対車線を通り過ぎていく。

ジョディは怜奈の車を目で追いながら、携帯電話をかけた。

「こちらジョディ。対象車は鳥矢街道を南下中。追跡を！」

コナンもリヤウインドーから怜奈の車を確認した。ポルシェの姿はない。

（ジンの車は別の道か……！）

「ワ、ワシらも追うのか？」

運転席の阿笠博士がたずねると、コナンは前を向いた。

「いや、このまま闇雲に追っても後手後手に回るだけだ……尾行に気づかれたらシャレにならねーし」

「しかし、なんとかせんと、誰かが殺されてしまうんじゃろ……？」

阿笠博士の言葉に、それまで腕を組んで黙っていた灰原が口を開いた。

「要するに、暗殺を阻止するには『DJ』なる人物と、『エディP』って場所を割り出して、先回りするしかないってわけね」

ああ、とうなずいたコナンは、右隣に座るジョディを見た。

「だから教えてくれる？　あのアナウンサーが今日インタビューする、その三人のことを詳しく」

「……彼女がインタビューするのは、今度衆議院選に初めて出馬する三人よ。一人目は、帝都大学薬学部教授で数々の新薬を研究開発してきた、常盤栄策。二人目は資産家の御曹司で人気俳優、なおかつ当選したら二世議員となる、千頭順司。三人目は元防衛庁官僚の父を持ち、自らも自衛官の幹部だった、土門康輝。でも……」

ジョディは残念そうに眉をひそめた。

「彼女が何時にどこで誰にインタビューするかは、聞き出せなかったわ……彼女とテレビクルーに任せてあるからって……もしかしたらアポなしのインタビューかも」

「となると、そのテレビクルーも奴らの仲間の可能性が高いな……」

コナンが考えていると、阿笠博士は「しかし……」と顔を上げた。

「三人ともイニシャルは『DJ』じゃないしのォ。常盤栄策はEとT、千頭順司はJとS、土門康輝はYとD。せめて場所がわかればいいんじゃが……駐車場や公園なんてたくさんあるし……」

「『DJ』って普通、ディスクジョッキーのことよね」

独り言のようにつぶやく灰原に、ジョディが答える。

「語源はディスク、つまりレコードを取り替えながら次々に曲をかける様子を、レコード盤を乗りこなす競馬騎手、つまりジョッキーになぞらえたところからきてるけど、その三人の誰かが音楽やギャンブルにはまってるなんて情報は入ってないし……」

（え？　ギャンブル……？）

思いがけない言葉が、コナンの心に引っかかった。

（ギャンブル……）

「ど、どうするんじゃ？　そろそろ追いかけんと、本当に彼女の車を見失って……」

阿笠博士が後部座席を振り返ると、コナンはフッと微笑んだ。

「いや、追跡はなしだ」

「!?」腕組みをして目を閉じていた灰原が、コナンを見る。

「その人の後援会事務所に問い合わせて聞いてみようじゃねーか。午後一時頃の候補者の予定を……」

「まさか……わかったの？」

驚いたジョディがたずねると、コナンは前を向いたまま「ああ」と言った。

「その三人の中の誰が、奴らの標的の『ＤＪ』かってことはね。ヒントはダイヤのジャック」

「ダイヤのジャック？　それが『ＤＪ』の意味だっていうの？」

「ああ……奴らのカード。日本でいうトランプになぞらえて、標的の人物をそう呼んでいたんだ」

ギャンブルという言葉を聞いて、コナンはカジノを思い浮かべた。カジノといえば、トランプゲーム。トランプの絵柄と三人の名前を頭に浮かべたとたん、『DJ』が誰なのかひらめいたのだ。

コナンの言葉を聞いた阿笠博士は「となると……」と口髭を指で触り出した。

「ダイヤは財産やお金を意味しておるから、その『DJ』は資産家の御曹司で当選したら二世議員となる、千頭順司じゃな」

「違うわ」間髪入れず灰原が口をはさんだ。

「トランプのジャックの意味は、宮廷に仕え司に任ぜられた家来か兵士……王子や息子の意味はないわ」

「えっ……しかし、大金持ちは彼しか……」

阿笠博士が肩をすぼめると、コナンが腕を組みながら言った。

「確かにダイヤは金を意味しているけど、占星術的には地の性質を持ってんだ。つまり、元自衛隊の幹部であり『地』を示す文字がその名に刻まれている……土門康輝。彼が奴らのターゲットだよ」

「土門康輝……」ジョディがその名前を繰り返す。

「人一倍正義感が強く、テレビや新聞で暴力や犯罪に対する過激な発言を繰り返し、高い支持を得ていて……その代償にそのスジから恨みを買い、殺し屋を差し向けられたけど見事に返り討ちにしてしまったという猛者……。彼なら私たちが守らなくても大丈夫な気もするけど？」

にっこりと微笑むジョディに、コナンは「いや」と低い声で言った。

「狙ってるのは黒ずくめの奴らだ。油断ならねーよ」

そのとき、隣の灰原からピポパ……と携帯電話を操作する音がした。

「出たわ……彼の後援会事務所の電話番号……ホームページには今日の昼からゴルフの予定になってるけど……どこでやるかは書いてないわ」

「そのゴルフ場の駐車場が、土門さんの狙撃場所ってわけか」

「とにかくこの事務所に電話して、聞くのが早そうね」

灰原は携帯電話を操作すると、「はい、ジョディ先生。番号はこれよ」と携帯電話の画面を見せた。

「OK」

ジョディは携帯電話を取り出し、提示された電話番号の数字キーを押し始めた。

「はい、OK」

土門の後援会事務所に電話をかけるジョディの横で、コナンは灰原を不思議そうに見た。

「何?」

コナンの視線に気づいた灰原が怪訝な目を向ける。

「あ、いや……オメー、変わったなって思ってよ」

「え?」

「だって、前までは奴らが絡むと、『やめなさい』『危険よ』『逃げた方がいいわ』ばっかりだったじゃねーか」

「当たり前でしょ?」灰原はきつい口調で言った。

「今回はあなたが不用意に仕掛けた発信器と盗聴器が、彼らの仲間の一人の靴の裏に付着してしまっているのよ。アレが見つかれば、あなたやあなたの周りの人間、つまり私たちにも火の粉が飛んでくるんだから！」

「そりゃあそうだけどよ……」

コナンが言い返せずにいると、灰原は「それに、私……」とうつむく。

灰原は、同級生の吉田歩美に言われた言葉を思い出していた。

＊＊＊

あれは、歩美が下校中に雨ガッパを着た通り魔と出会い、ぶつかってしまったときのことだ。歩美の手には犯人が持っていた車の鍵のマークの跡がついていて、そのマークから容疑者は三人に絞られた。歩美は車の中から駐車場に呼ばれた容疑者の三人を確認することになったのだが、リヤウインドー越しでは声も姿もよくわからない。すると、歩美が言い出したのだ。

『やっぱりわたし、会ってくる！　そばで見たら、犯人わかるかもしれないもん！』

隣に座っていた灰原は『ダメよ』と制した。

『言ったでしょ。それで犯人が捕まらなければ、大変なことになる可能性があるって』

『で、でも……』

『あなただけじゃないわ。あなたに加担した周りの皆も、犯人の仕返しをくう恐れがある。悪い人を懲らしめたい気持ちはわかるけど、ここは我慢して、耐えて身を引くのも一つの勇気』

灰原はそれが正解だと思った。自分のためにも、みんなのためにも――。

その頃、灰原はジョディから、黒ずくめの組織の追及から逃れるため証人保護プログラムを受けるよう言われていた。証人保護プログラムを受けたら、別人として生きていかねばならない。コナンたちとは二度と会うことも電話することもできなくなる。

灰原は、心のどこかで犯人に会おうとする歩美と自分を重ねていた。

報復を恐れるなら、周りの人たちを巻き添えにしたくないのなら、歩美も自分も身を引くのが一番だと思った。けれど――。

『で、でも……でもわたし……逃げたくない!!』

歩美ははっきりと言い切ったのだ。

『逃げてばっかじゃ勝てないもん！　ぜーったい!!』

＊　＊　＊

「〝それに〟……なんだよ？」

ずっと黙っている灰原にコナンが声をかけると、ジョディがコホンと咳払いした。その音に、灰原がハッと横を向く。

不思議そうに灰原を見るコナンの頭越しに、ジョディが親指を立てウインクをした。

あのとき、歩美が犯人から逃げなかったように、灰原も黒ずくめの組織から逃れようとせず、証人保護プログラムを断ったのだ。

ジョディはＦＢＩの捜査官としては反対だけど、灰原と同じように昔誰かに命を狙われていた女の子としては賛成だと、エールを送ってくれた。昔の自分に欠けていた『仲間』を持つ灰原を、ジョディは今も応援してくれているのだ。

灰原とジョディはしばし見つめ合い、事情を知らないコナンは「ん？」と目をしばたたかせるばかりだった。

6

ジョディは土門の後援会事務所に電話をかけ、今日の昼からの予定に入っているゴルフ場の場所をたずねた。すると、電話に出た秘書は、わからないと答えた。

「え？　わからない？　どういうこと？　ゴルフ場に行くんじゃないの？」

『それが昨日、キャンセルされたんです。急に人と会う約束が出来たとおっしゃって……』

「じゃあ、急いで彼に連絡して。命を狙われてるから会うのを止めなさいって！」

ジョディが忠告すると、秘書はハハハ……と明るい声で笑った。

『よくかかってくるんですよ、そういう電話。でも大丈夫です。土門さんは強いですし、ボディガードも二人帯同されてますし。どうぞご心配なく。では、こちらも忙しいので』

「あ、ちょっと……！」

早々に通話は切られてしまった。運転席の阿笠博士がチラリと振り返る。

「どうやらイタズラだと思われてるようじゃな」

「そんな……！」

「まぁ、無理もないがのォ」

コナンは、クソッと歯噛みした。

せっかく標的の人物『ＤＪ』が誰なのかわかったというのに、行き先を教えてもらえないとは――。

（やっぱもう一つのヒント、狙撃場所の『エディＰ』を探し当てねーと……）

「その土門さんにインタビューする彼らの仲間のアナウンサー、今どこにいるの？」

灰原に訊かれて、コナンは犯人追跡メガネを起動した。左レンズのレーダーに、赤い点が表示される。

「ここから南東18キロだから……場所は潮留の日売テレビ局。そこで多分クルーたちと合流して一緒に……」

そのとき、犯人追跡メガネの集音器から電話の着信音が聞こえてきた。

（ん？　電話……）

ジンが助手席に座るポルシェは、キャンティが運転するダッジ・バイパーと並んで走っていた。ジンが携帯電話で怜奈に電話をかける。

『どうしたの？』

「一応、確認だ。用心深くてしつこい性格なんでな」

『大……丈夫。順……調……よ』

怜奈の声は、ときどきノイズが混じって聞き取りにくかった。

『これから……クルーたちとテレビ局の……ワゴンで……エディPに向かう……ところ。

雨も上がった……し、絶好の……狩猟日和……ね』

「キール。今朝もそうだったが、お前の電話、ノイズが気になるぞ」

『ああ……多分……地下だからなんじゃない？ 今朝も……地下で……受けたし……』

ジンがノイズ混じりの怜奈の声を聞いていると、並走していたキャンティの車がスピードを上げた。

「じゃあジン、アタイら先に行ってるよ！」

「Hey！ Chianti!!」

ポルシェの後部座席に乗っていたベルモットが声をかけた。そして「Good Luck♥」と投げキッスをする。

キャンティはチッと舌打ちして、アクセルを強く踏んだ。加速したダッジ・バイパーがポルシェを大きく引き離す。

「殺す！ 殺す！ 絶対殺す!!」

「……俺も、ベルモット、嫌い」

殺気立っているキャンティの隣で、コルンがつぶやく。

「カルバドス、アイツに惚れてた。アイツ、それ利用した。だから……嫌い……」

黒ずくめの組織のメンバーで、コルンたちと同じスナイパーだった、カルバドス。ベルモットに好意を抱いていた彼は、ベルモットに利用され、FBIの襲撃を受けて自殺してしまったのだ。

「ええ……本当ならとうの昔に殺ってるところさ。あの女が、あの方のお気に入りじゃなきゃねぇ……！」

忌々しそうに眉根を寄せたキャンティは、さらにアクセルを踏み込んだ。


ジンと怜奈の会話を聴いたコナンは、ビートルの後部座席から助手席に移り、腕時計を見た。

「奴らが言ってた暗殺の時間まで、あと30分もねぇ！　エディP……エディP……一体どこなんだ、エディPって⁉」

焦っているコナンに、運転席の阿笠博士が「のぉ」と声をかける。

「一応ワシらも、そのテレビ局に向かった方がいいんじゃないかのぉ？」

「ええ、そうね」と同意したのは灰原だった。

「ここでまごまごしてても埒が明かないし、その狩り場ってとこがわかったとしても、問題のテレビ局のワゴンと距離が離れすぎてたら先回りできないし……」

「うむ！」

阿笠博士はうなずくと、サイドブレーキを下ろして車を発進させた。

(狩り場……そういえばベルモットが言ってたな……)

コナンは犯人追跡メガネの集音器で聴いたベルモットたちの会話を思い出した。

——まさに狩り場にはうってつけってところかしら。

——え？　どういう意味ですかい？

――ウフフ。少しは向こうの歴史も勉強することね、ウォッカ。

(歴史……)

コナンが考えていると、電話の着信音が鳴った。ポケットから二台の携帯電話を取り出す。

(えーっとこの音は、コナンの携帯の方か)

「あ、もしもし？」

通話ボタンを押して電話に出ると、

『もしもしじゃないわよ！』

いきなり蘭の怒った声が聞こえてきた。

『もォ！　急に電話切ったりして!!』

「ご、ごめんなさい、蘭姉ちゃん」

『ちょっと博士に代わって！』

と言われたが、阿笠博士は運転中だ。

「あ！　もう観覧車に乗る番になっちゃったから、また後でね！」

強引に通話を切ると、後部座席のジョディがシートの間に身を乗り出してきた。

「Oh、クールキッド！　まるで二重人格ね！」

「え？」

振り返ったコナンは、『二重人格』という言葉が心に引っかかった。

（待てよ……）

さっき思い出したベルモットの言葉と、ジョディの言葉。

『狩り場』『歴史』『公園』そして『二重人格』——。

キーワードを並べる頭の中に、ふいに怜奈のマンションで見た光景がよみがえる。

怜奈が玄関ホールでまとめていた雑誌や新聞。あの中にあった一冊の本を、小五郎が手に取った。

――『ジキルとハイド』かぁ！　なつかしいっスな～。

（そうか……！）

『ジキルとハイド』の登場人物を思い浮かべたとたん、コナンの頭に一閃の光が差し込んだ。

「博士！　そこの信号を左に折れて、高速に乗ってくれ!!」

「高速……？」

ハンドルを握った阿笠博士は、目の前の道路標識を見た。

「じゃがアレに乗ると、日売テレビからずいぶん離れてしまうぞ」

「離れてもいいんだよ。先回りするんだから」

「先回り……？　じゃあまさか――」

「ああ。やっとわかったぜ」

コナンはニヤリと微笑んだ。

「奴らが土門さんを暗殺しようとしている『エディP』って場所が、杯戸公園だってことがな！」

「杯戸公園？」ジョディがシートから背を離して前のめりになる。

「でもなんで『エディP』が……」

「さっきジョディ先生が言った『二重人格』って言葉でピンと来たんだ。『エディ』がエドワードを縮めた呼び名だってことがね！」

「……なるほど」うつむいて聞いていた灰原が目を開ける。

「エドワード・ハイド……スティーブンソンの怪奇小説『ジキルとハイド』に登場するハイドのファーストネーム。つまり、『エディP』は杯戸公園ってわけね」

「じゃが、あの公園には駐車場もあったような……」

阿笠博士が言うと、コナンは「いや」と打ち消した。

「奴らは『狩り場にはうってつけ』って言ってた。本家本元のロンドンにあるハイド公園は、16世紀頃まで鹿や猪とかが生息してて、貴族の狩猟場だったんだ。つまり、『狩り場』さ。間違いねーぜ！」

『エディP』が杯戸公園だと確信したコナンは、再び犯人追跡メガネを起動させた。左レンズのレーダーに映る赤い点が、杯戸公園のある方角へどんどん進んでいる。

（やべぇ……このままじゃテレビ局のワゴンの方が先に着いちまう……！）

「博士、急いで!!」

「わ、わかった！」

スピードを上げたビートルは、首都高の入り口ランプを駆け上った。

杯戸公園の駐車場に、ジンたちを乗せたポルシェが停まっていた。

『ねぇ、ジン……まだかい？　キールは……退屈すぎてマジ死にそう』

ジンが手にした無線機から、杯戸公園そばのビルの屋上で待機しているキャンティのイライラした声が聞こえてくる。

「待て……DJを連れて今、そっちへ向かっている……退屈しのぎに関係ねぇ羊を狩るんじゃねーぜ……コルンもな」

ジンは別のビルの屋上で待機しているコルンにも指示した。

後部座席に座ったベルモットが静かに怜奈たちの到着を待っていると――黄色のビートルが駐車場に入ってきた。助手席のドアが開いて、コナンが出てくる。

(あ、あの子……！)

さらに後部座席からジョディが出てきた。

(FBI……！　どうして……!?)

「いいか。行くのはオレと先生だ。絶対に車から降りるんじゃねーぞ！」

車から降りたコナンは、阿笠博士と灰原に言い聞かせると、ジョディと走り出した。

(もう時間がない！　どこだ!?)

犯人追跡メガネを起動させ、レーダーに映る赤い点へと向かう。

杯戸公園に到着した怜奈は、クルーたちと共に土門を連れて、木々に囲まれた公園の中央へとやってきた。園路に立つ土門のそばには、二人のボディガードがぴったりと寄り添っている。

「わざわざ、すみません。我々の独占インタビューにこたえていただいて……」

怜奈が持っていたマイクを向けると、土門は「いやいや」と首を横に振った。

「それより場所はここでよかったかな？」

「ええ、とても素敵な公園ですね」

「私のいつものジョギングコースなんですよ。まあ、そのときは彼らボディガードも一緒に走る羽目になりますがね」

と笑う土門のそばで、ボディーガードは周囲に目を光らせている。

「ところで、例の件ですが……」

土門は怜奈に近づき、小声で言った。

「このインタビューを受ける代わりに私が出した条件、飲んでくれましたか？」

「ええ、もちろんですわ」

にっこりと微笑む怜奈の胸元には、金色のブローチが付けられ、その中央に取り付けられたレンズがキラリと光った。

ポルシェのダッシュボードに置かれた小型モニターに、微笑む土門の姿が映った。

「よォし、キール……そのままDJを例の位置に誘導しろ」

小型モニターを見ながら、ジンが無線機で指示する。

「こいつはヘビィな映像が撮れそうですぜ。生放送じゃないのが惜しい」

運転席のウォッカはニヤリと笑った。

左耳につけた無線機用イヤホンから、ジンの指示が聞こえてきて、怜奈は土門にマイクを向けた。

「立ち話もなんですから、どこか落ち着ける場所で」

「そうですね」

「じゃあ、あのベンチにでも座って……」

と、ジンに指示された例の位置――ベンチを振り返る。

「ベンチ？　ハハハ……いいですね」

土門は笑いながら、ベンチへと向かった。

キャンティとコルンは、別々のビルの屋上でライフルを構えていた。スコープを覗き、ベンチへと歩いていく土門の頭を狙っている。

すると、園路を歩いてきた若い男性が土門を見て立ち止まった。

「あれ？　土門さんじゃないっスか？」

「えっ!?」

そばにいた若い女性がその声を聞いて、土門に近づいてくる。

「スゴーイ、本物だ！　握手してください!!」

手を差し出す女性の前に、ボディガードがサッと立ちはだかった。

「かまわんよ」

土門はボディガードの肩に手を置いて退かせると、女性に手を差し出した。

「応援してます！　日本を変えてください！」

「ああ、ありがとう」

公園を歩いていた人たちが続々と土門に気づいて駆け寄り、握手を求めていった。

公園近くのビルの屋上。給水タンクの下でライフルのスコープを覗いていたコルンは、人々に囲まれている土門の後頭部を捉えた。

「……捉えた。撃っていいか？」

『まだだ、コルン』

耳につけた無線用のヘッドセットから、ジンの声が聞こえてくる。

『邪魔な羊が多すぎる。DJがベンチに腰を下ろすまで待て』

レーダーを頼りにコナンとジョディが公園の中央に駆けつけると、何やら人だかりができていた。その中心にいるのは、土門だ。

「ねぇ、あれってよくテレビに出てる土門さんよね？」

「マジかよ！」

通りかかったカップルも土門を見つけて、握手をしようと人だかりの中へ入っていく。人だかりからやや離れたところで立ち止まったジョディは、周囲を見回した。

「でも、スナイパーはどこに？」

「奴らは雨を気にしていたから、多分ビルの屋上……」

コナンは公園の周囲に建つビルを捜した。

「あそこか！」

公園の目の前に建つ赤い屋根のマンション――あそこからなら土門を狙える。

「もう一人は……給水タンクの下ね！」

ジョディは、屋上に給水タンクがある別のビルを見上げた。

「じゃあ、私は土門さんを保護するから、君は他のみんなを安全な場所へ……」

ジョディの指示に、コナンは「いや」と人だかりに目を向けた。

「下手に突っ込んでライフルを乱射されたら、周りの野次馬たちに当たりかねない。それを阻止するには、あきらめさせるには……」

どうすればいい——思案するコナンの目に、男性が持つ傘が留まった。ついさっきまで雨が降っていたせいで、他の人もみんな傘を持っている。

ポルシェの中で小型モニターを見ていたウォッカは、群がる人々に愛嬌を振りまく土門に苛立っていた。

「イライラさせやがる……」

「焦るな。待つんだ」

冷静な声で言うジンの後ろでは、ベルモットが目を閉じていた。

土門の周りにできた人だかりから離れるように駆け出したコナンは、芝生に設置されたものを見て立ち止まった。

「あった……！」

「……スプリンクラー？」

コナンの後を追ってきたジョディは、芝生に設置されたスプリンクラーを不思議そうに見つめた。コナンが「ねぇ、先生」と真剣な眼差しを向ける。

「拳銃、持ってる？」

「拳銃？　一応、持ってるけど……」

「消音器は？」

ジョディは懐に手を当てて確認した。「あ、あるわよ」

「じゃあ、これからボクが言う物を撃ってくれる？　誰にも気づかれないように」

「え……？」

ジョディは、これからコナンが何をしようとするのか、皆目見当もつかなかった。

土門の周りにできた人だかりは、みな一様に握手を求めてきて、一向に減る気配がなかった。

「まあまあ、握手はインタビューの後で……」

土門が笑顔でやんわりと促しても、さらに杖をついた老婦人が近づいてくる。

「土門さん、応援してます。頑張ってください」

「あ、ハハ……ありがとうございます」

土門は困ったように笑いながらも、老婦人の手を両手で握った。日売テレビのカメラマンはずっとカメラを回し続けている。

「こういう映像も、後で選挙戦に役立つのかな？」

土門に訊かれた怜奈は「ええ、もちろん」と笑顔で答えた。

赤い屋根のマンションの屋上で、キャンティは床に伏せてライフルを構えていた。その紫色に塗られた唇は土門の写真をくわえ、右目で覗いたスコープには十字線の中央に土門の顔が映っている。

「いいかい？　コルン。アタイは頭、アンタは背中だよ！」

『俺……頭がいい』

無線用ヘッドセットからコルンの声が聞こえてきて、キャンティはチッと舌打ちした。

「OK。好きにしな！」


土門のそばでマイクを持って立つ怜奈の耳に、ジンの声が聞こえてきた。

『どうした、キール？　早くDJを座らせろ……キール』

目を閉じていた怜奈は、決意したように目を見開くと、土門に近づいた。

「土門さん、そろそろインタビューを」

「ええ、そうですね」

土門はベンチに向かって歩き出した。テレビ局のスタッフが群がった人々に声をかける。

「すみません、皆さん……少し下がっていただけますか？　インタビューを収録しますので」

ようやく土門がベンチに向かい、集まっていた人々から離れていく。

マンションの屋上でライフルを構えたキャンティは、スコープで土門を狙いながら、引き金にかけた人差し指に力を込めた。

別のビルの給水タンクの下でライフルを構えるコルンも、ベンチへ移動する土門をスコープで狙う。

キイィン！

甲高い音がして、怜奈は芝生の方を振り返った。すると、木陰から外国人の女性が飛び出すのが見えた。芝生に設置されたスプリンクラーからは、水が高く上がっている。

スプリンクラーを拳銃で撃ったジョディは、木の間をすばやく移動して、土門の近くに設置されたスプリンクラーを次々と撃っていった。

スプリンクラーから放出された水が高く舞い上がり、まるで雨のように上から落ちてくる――。

「ん？　雨か？」

頭上から降り注ぐ水滴に気づいた土門が、手のひらを上に向ける。群がった人々も一斉に空を見上げた。

「ちょっと、ウソ……」「マジかよ？」

スプリンクラーの水を雨と勘違いした人々は、持っていた傘を差し始めた。ボディガードも傘を広げて、土門に向ける。

「ホラ、座りな……早く」

キャンティがライフルのスコープで土門を狙っていると、突然、紺色の傘が現れて土門の姿を隠してしまった。

コルンが覗くスコープからも、同じように土門の上半身が傘で遮られて見えない。

「DJ、紺の傘……撃っていいか？」

ポルシェのダッシュボードに置かれた小型モニターには、傘を差す土門の後ろ姿が映っていた。

「待て。傘越しだと確率が下がる」

無線機で指示をするジンの隣で、ウォッカは開けた窓から外を見た。

「しかし妙ですねぇ。こっちは雨なんか……」

と手を出すと、ポツッと水滴が落ちてきた。見上げた空は再び雨雲が垂れていて、あっという間に雨が降り出してくる。

「こっちも降ってきやしたぜ」

ウォッカは慌てて窓を閉めた。

本格的に雨が降り出して、コナンとジョディは土門たちがいる園路の近くに立つ樹の下に入った。

「本当に降ってきた……」

「恵みの雨ね」

コートの襟をつかんだジョディが、そう言って微笑む。


雨はすぐに止みそうにはなかった。傘を差されたままでは、正確に狙うのは難しい。

「キャンティ、キール、コルン。一旦引き揚げろ」

ジンは無線機で三人に指示した。

「一時間後、例の場所で待ってる」

無線機を切るジンに、後部座席で無言を貫いていたベルモットが口を開く。

「じゃあ、とりあえず教えてくれる？　暗殺劇第二幕の、あらすじを……」

7

雨がどんどん降ってきて、怜奈もスタッフから渡された傘を開いた。ボディガードに傘を差された土門が、空を見上げる。

「これじゃあ仕方ない。インタビューは公園内の東屋で」

「え、ええ」

「じゃあ行きましょうか」

歩き出した土門に、「あ、あのォ」と若い女性が近づいてきた。

「私たちも行っていいですか？」

「ああ、もちろん」

土門が笑顔で答えると、「じゃあ俺も！」「私も！」とその場にいた人たちが小走りで東屋へ向かう。

その一人が怜奈のローファー靴の踵を踏んで、靴が脱げてしまった。

「あ……！」

脱げた怜奈の靴は地面を転がり、さらに走ってきた男の人が蹴とばして、怜奈から離れたところへ飛んでいく。

（チャンス!!）

樹の下にいたコナンは、園路に飛び出した。怜奈は東屋へ向かう人たちに遮られて、立往生している。

（今のうちに靴の裏の発信器と盗聴器を……）

転がった怜奈の靴まで、あと少し。

（おーし！　もらったぁ!!）

コナンの手が怜奈の靴の踵をつかむと同時に、別の手がつま先をつかんだ。それは怜奈の手だった。

「ボ、ボウヤ……」

同時に靴をつかんだコナンを見て、驚く。

見つかった——木陰から見ていたジョディは、拳銃の弾倉をすばやく入れ替えた。

靴をつかみ合ったコナンと怜奈は、驚きのあまり、しばし動けずにいた。雨が降る中、靴をつかみ合ったまま、見つめ合う。

すると、怜奈がおもむろに耳につけていたイヤホンを外した。そして手を伸ばし、コナンの首に触れる。

「……まさか、私をつけてきたの？」

「ち、違うよ。たまたま偶然……」

「……そう……」

コナンの顔をじっと見つめた怜奈は、コナンの首から手を離した。

「ありがとう。助かったわ、靴を拾ってくれて」

そう言うと靴を引っ張り、立ち上がって靴を履いた。

「……本当に、ありがとう」

お礼を繰り返して、クルーの方へ戻っていく。

木陰から銃を握りしめて様子を見ていたジョディは、安全装置を掛けた。

コナンが立ち止まったまま怜奈を目で追うと、クルーのところへ戻った怜奈は「ディレクター！」とパーカーを被った男に声をかけた。

「インタビュアーに誰か代役を立てていただけます？ さっきから喉の調子がおかしくて……」

「おいおい……」

ディレクターはなんとかインタビューを続けるよう説得を試みたが、怜奈は頑として首を縦に振らなかった。

灰原と阿笠博士が駐車場で待機していると、ジンたちが乗ったポルシェが動き出した。野太いエンジン音を響き渡らせながら、駐車場を出ていく。

(ジン……)

灰原はビートルの後部座席の窓から、ポルシェの姿を追った。

しばらくするとコナンとジョディが戻ってきて、コナンは怜奈に見つかってしまったと灰原たちに告げた。

「まさかバレたの!? 私たちが追ってること」

「いや……なんとかごまかせたと思う。発信器と盗聴器にも気づいてねぇし……」

コナンの言葉に、阿笠博士が「じゃったら」と口を開く。

「なんでそのときそれを回収しなかったんじゃ? 靴の裏に何か付いてると言えば、取れたじゃろうに……」

「ああ。オレもそうしようと思ったんだけど、なんかあの人、妙な感じがして……」

コナンは言いながら、お礼を言われたときの怜奈を思い出した。

——ありがとう。助かったわ、靴を拾ってくれて。

——本当に、ありがとう……。

靴を拾っただけなのに、怜奈はわざわざ二度も礼を言った。しかも二度目は、しみじみとした表情で——。

コナンが考えていると、ジョディが「でも」と言った。

「お陰で彼らの追跡は続行できるわ。彼らの暗殺計画にはまだ続きがありそうだし」

「ああ……」

「それより、放っておいて大丈夫なの？　彼女が連れてきたテレビクルーは今、土門さんに張り付いているんでしょ？」

灰原に言われて、コナンは「クルーたちは無関係だよ」と答えた。

「彼女はわざわざ理由をつけてクルーと別行動を取っていたからな。だから多分、奴らはこれからまたどこかに集まって、次の計画を……」

そのとき、駐車場に一台のベンツが入ってきた。それを確認したジョディが、車内の阿笠博士と灰原を見る。

「まあ、ここから先はＦＢＩに任せて、あなたたちはビートルで家に帰るように……」

そう言うと、コナンの頭にポンと手を乗せた。

「この子は借りて行くけどね」

「じゃが、車もなしにどうやって追跡を？」

「Ｎｏ ｐｒｏｂｌｅｍ（問題ないわ）」

ジョディがウインクして答えると、ビートルの前にベンツが停まった。

「私のボスが、直々に運転手を買って出てくれたから」

コナンがベンツの運転席を見ると、メガネに口ひげを生やした白髪の外国人の老紳士が乗っていた。

「!!」

その老紳士に、コナンはなんとなく見覚えがあった。どこかで会ったような気がするのだが……。

コナンは開いていた助手席のドアをバタンと閉めた。

「じゃあ、博士。おっちゃんと蘭姉ちゃんを頼む！　うまいこと博士ん家に呼んで匿ってくれ！」

「あ、ああ……」

阿笠博士がうなずくと、ジョディが助手席の窓から車内を見た。

「念のために私たちの仲間2、3人張り込ませておくから」

「じゃあ頼んだぜ！」

コナンがベンツに向かおうとすると、灰原が「ねぇ！」と声をかけた。後部座席から助手席に移動して、窓から顔を出す。

「わかってるでしょうけど、あなたの第一目標は発信器と盗聴器の回収よ。妙な好奇心と正義感で躊躇してたら、何もかも失ってしまうわよ！」

「……ああ、わかってる」

コナンは灰原の忠告を素直に受け止め、ベンツの後部座席に乗り込んだ。

走り出したベンツの中で、ジョディは上司にこれまでの経緯を詳しく説明した。

「ほおーっ、スプリンクラーを撃ち抜いて雨だと思わせ、標的の人物はもちろん、周りにいる人たちにも傘を差させて、狙撃を阻んだのか……」

目の前の信号が赤に変わり、ベンツは前の車に続いて停止した。ハンドルを握るジョディの上司が、チラリと後部座席のコナンを見る。

「さすが、君が一目置いている少年だ。FBIにスカウトしたいぐらいだよ」

「彼はジェイムズ。一度会ったことあるわよね？　コナン君」

「え？」

ジョディに言われて、犯人追跡メガネのレーダーを確認していたコナンは顔を上げた。

ルームミラー越しに、ジェイムズと目が合う。

「君とは、パンダカーのとき以来だね。あのときは助かったよ」

（パンダ……）

ジェイムズに言われて、コナンは思い出した。

日本のパトカーを『パンダカー』と呼んだ、イングランド系アメリカ人の老紳士を――。

＊＊＊

以前、阿笠博士や子供たちとアニマルショーを観に行ったとき、アニマルショーのスポンサーと間違えられてインタビューを受けていたジェイムズを、コナンたちが助けたのだ。

スポンサーのランディ・ホークと顔が酷似していたジェイムズは、さらにその後、警察官に変装した三人組の男に誘拐され、パトカーそっくりに改造した車で連れ去られてしまった。コナンたちはジェイムズが落としたストラップの暗号を手掛かりに、ジェイムズを連れ去った車がパトカーだと特定して、誘拐犯を捕まえたのだが……人質のジェイムズはいつの間にか消えていた――。

＊＊＊

(このジェイムズっておっさんも、FBIだったってわけね……)

コナンはハハ……と苦笑いした。

信号が青に変わり、走り出したベンツは長い橋を渡った。

「しかし、なんで彼らが議員にもなっていない、あの土門康輝を狙うんだね？」

「多分、父親が有名な元官僚で政界に顔が利き、カリスマ性が高く正義感の塊みたいな人だからなんじゃないでしょうか？　すでに未来の首相候補とまで噂されてますし……」

ジョディの言葉に、ジェイムズは「なるほど」とうなずいた。

「自分たちに抗う若い芽は早いうちに摘んでおけ、ということか」

「それが彼らのやり方です。それに今殺せば、毒島桐子の仕業だと思わせられますしね」

「毒島桐子？」

「ええ……この前、殺し屋を差し向けた疑いのある泥参会の女幹部ですよ」

「なるほど……」

橋を渡り終えると、左レンズのレーダーを見ていたコナンが口を開いた。

「次の交差点、左に折れて」

「どう？　彼らの声、入ってきた？」

助手席のジョディに訊かれたコナンは、小さく首を横に振った。

「いや、まだ遠すぎて何も……」

やがてベンツが交差点を左折すると、ジョディは「そういえば……」とジェイムズに話しかけた。

「秀一の居場所、わかります？」

「ああ……赤井君なら私も捜しているところだよ。この状況は彼に説明したんだろ？」

「ええ……」

ジョディは後部座席をチラリと振り返った。

「この子が取り付けた発信器と盗聴器のことも……そうしたら電話口で『そうか』って答えたきり、音信不通になってしまって……」

「ふむ……どうも恋人を亡くしてからの彼は、心を閉ざす傾向にあるようだ。それ以前も開いていたわけではないがね」

そのとき、犯人追跡メガネの集音器に耳を傾けていたコナンが「シッ」と人差し指を口に当てた。ジョディが「ん？」と振り返る。

「聞こえてきた……！」

集音器からわずかに人の声が聞こえてきたのだ。

(この声は……)


その頃。

ジンたちを乗せたポルシェと、キャンティ、コルンが乗ったダッジ・バイパーは、埠頭の廃倉庫に停まっていた。

それぞれが車から出てきて、車の前でジンが次の暗殺計画を説明する。

「16時ごろ、DJは車で橋の上を通る。そこが暗殺場所だ。今回、キャンティとコルンには援護に回ってもらう」

「え、援護だって!?」

ボンネットに腰かけていたキャンティは驚いて腰を浮かし、

「俺……撃ちたい」

隣に立っていたコルンは、ぼそりとつぶやいた。

「まあ、そう言うなよ」ウォッカがなだめるようにそう言って、二人に近づいた。

「奴の車は防弾装備の特注品だ。公園のようにはいかねぇよ」

「でもねぇ――」

キャンティが納得いかない顔をして詰め寄ると、ジンが「それに」と口を開いた。

「自衛隊上がりのボディガードが奴の両脇を固めている。お前の放つ7・62ミリ弾が一番薄いサイドウインドーを貫いたとしても、DJには届かねぇぜ」

「じゃあ、どうやって殺んのさ!? 橋の上で素っ裸でDJの車をヒッチハイクでもして、車に乗り込めってわけ?」

キャンティが苛立ったように手を広げながら言うと、バイクのエンジン音がして、コンテナの方から一台のバイクが現れた。

「あらキャンティ、いい線いってるわよ」

「……ベルモット?」

フルフェイスヘルメットを被ってハーレーダビッドソンのバイクにまたがっているのは、いつの間にかいなくなっていたベルモットだった。

「このバイクで私がDJの車の前で転倒して車を止め、車から出てきたところを……」

「後ろから来た私が仕留めるの」

ベルモットの言葉を継いだのは、ライダースーツに身を包んでポルシェから出てきた怜奈だった。

「そのとき、DJと共に車外に出たボディガードを片付けるのが、お前ら二人の役目だ」

ジンに言われたキャンティが、悔し紛れにつぶやく。

「けど、用心深いあの男がそんな簡単に出てくるかねぇ」

すると、ベルモットはウフフと笑った。

「大丈夫。ヘルメットが飛ばされて頭から血を流した女が倒れていたら、正義感の強い彼なら駆け寄ってくれるんじゃゃない？」

今度はキャンティがキャヤハハ……と高笑いする。

「冗談は止めな！　橋には他の車もいるんだよ？　アンタほどの有名女優が顔を晒したら――」

「バカね。晒すのはこの顔よ」

キャンティはそう言って、フルフェイスヘルメットのシールドを上げ、顔を見せた。そこにはベルモットの美しい顔ではなく、頭から血を流した毒島桐子の顔があった。

「!!」

「泥参会の毒島桐子……さすがベルモット、そっくりですぜ」

不満をもらしたキャンティとコルンも、ベルモットの変装した顔を見て、作戦に納得したようだった。

「なーる……だからその女がしゃしゃり出てきたってわけかい！」

「場所……どこだ？　ジン」

隣に立つコルンに訊かれたジンは、ぎらりと横目を光らせた。

「DJを仕留めるのは……『ベインB』だ」


「ベイン……B……」

コナンはジンの口から出た言葉を、繰り返した。運転席のジェイムズがルームミラー越しにコナンを見る。

「『ベインB』？　それが次の暗殺場所なのかね？」

「うん。時間は16時。土門さんの車がどこかの橋の上を通るところを狙うみたいだよ」

「つまり、『ベインB』の『B』はブリッジというわけか」

「でも、どこの橋か特定できないと、暗殺を阻止することは……」

ジョディが言いかけたとき、メガネの集音器から再び声が聞こえてきた。

「黙って！　奴ら今、地図を確認している……もしかしたら、地名を口走るかも……」

コナンは聞き漏らさないよう慎重に集音器に耳を傾けた。


ウォッカがポルシェの屋根で地図を開くと、ジンが地図を指差して場所を確認し始めた。

「……コルンはここ、キャンティはこの位置だ。しっかり頼むぜ、お二人さん」

ヘルメットを脇に抱えた怜奈は、地図を確認し合うジンたちの横を通り、バイクにまたがるベルモットに近づいた。

「私のバイクはどこかしら？」

「ああ、あのコンテナの後ろ」

ベルモットが指差すと、怜奈は「ありがとう」とコンテナに向かった。

「じゃあ『ベインB』の手前で合流しましょう」

「ねえ、キール」

ベルモットに呼ばれて、怜奈は足を止めて振り返った。

「あなた、まさか……コレじゃないでしょうね？」

ベルモットはそう言って、軽く握った手の甲でバイクのスピードメーターをドアをノックするようにコン、コンと二度叩いた。

NOC――。

民間人として活動するCIA工作員のことだが、ベルモットはキールをNOCではないかと疑っているのだ……。

「……バカね。そんなわけないでしょう」

怜奈は軽く微笑むと、コンテナへと向かった。

（なんだ……？）

犯人追跡メガネの集音器で怜奈たちの会話を聴いていたコナンは、ベルモットの言葉と何かを叩いた音が気になった。

『コレじゃないでしょうね』と、コン、コンと叩く音。

『コレ』って、なんのことだ――？

ベルモットはバイクのエンジンを始動させると、倉庫の出口の手前で振り返った。

「じゃあ私は先に行ってるけど、何かあったらちゃんと援護してちょうだいね。この暗殺劇……何か嫌な感じがするから」

キャンティはフン、と鼻から息をもらした。

「任せなよ。やばくなってアンタが向こうの手に落ちそうになったら、構わずアンタに弾丸をぶち込んでやっからさぁ」

「ええ。そのときはちゃんと顔を狙ってくれる？」

ベルモットはフルフェイスヘルメット越しに自分の顔を親指で指した。

「私が暗殺に関わっていたことが世間に知られたら、いろいろマズイでしょう？」

「……何か気になることでもあるのか？　ベルモット」

ジンに訊かれたベルモットは、「いや」と否定した。

「ただそんな予感がするだけ。気にしないで」

そう答えると、ベルモットはアクセルを回してバイクを発進させた。その後ろ姿を、ジンが険しい目で見つめる。

やがてベルモットの姿が見えなくなると、キャンティとコルンも車に乗り込み、目的地に向けて出発した。

仲間より一足早く出発したベルモットは、目的の『ベインB』に向かって、木々が立ち並ぶ人気のない道路をバイクで走った。フルフェイスヘルメットからはみ出した長い髪が風で後ろになびいている。

ベルモットはバイクを走らせながら、コナンのことを考えていた。

暗殺計画の決行場所——杯戸公園に、コナンはいきなり現れた。しかも驚いたことにFBIを引き連れて。どうやって私たちの計画を知ったのかはわからないけれど——ベルモットはフッと微笑んだ。

(さあ……どこまでつかんでいるかは知らないけど、私たちを止められるかしら？　私の愛しい、シルバーブレット君……？)

8

コナンたちを乗せたベンツは、都内を走っていた。後部座席のコナンは犯人追跡メガネの集音器に耳を傾けている。

「結局、場所はわからずじまいか……」

ハンドルを握るジェイムズが言うと、コナンは「うん」と小さくうなずいた。

「なんだかさっきから音が聞こえづらくなってるし……」

ジョディはチラリと後部座席を見た。

「手掛かりは、どこかの橋だということだけね」

「その土門さんの後援会事務所に問い合わせれば、わかるんじゃないのか？　彼がこれからどこへ行って、どの橋を渡るのか」

ジェイムズに言われて、ジョディは険しい顔をした。

「何度も電話してるんですけど、教えてくれないんです。あまりにもしつこいから、不審者だと思われているようで……」

ジェイムズは「やれやれ」と息をついた。

「やはり『ベインB』の『ベイン』を解かねば、この悪い風向きは変わらんようだな」

(風向き……?)

集音器に耳を傾けていたコナンは、ジェイムズの言葉を聞いて、顔を上げた。

「ベインといえば、vain……『無駄な』『くだらない』『うぬぼれが強い』という意味だが……」

「そんな地名、この東京にあったかしら?」

考えを巡らせている二人に、コナンは「いや、そうじゃない」と口を挟んだ。

「v・a・i・nじゃなくて、v・a・n・eの『ベイン』だよ!」

「え？　風向計や風車の羽根の『ベイン』かね？」

ジェイムズが驚いてたずねると、コナンは「ああ」と応じた。

「それと同時に、弓矢の矢羽を意味する単語。この辺で矢羽を暗示する地名っていったら……鳥矢町！　つまり『ベインB』は鳥矢B、鳥矢大橋ってわけさ！」

「それは朗報だ！」

暗号を解いたコナンを称えたジェイムズは、車内時計を見た。――13時57分。

「暗殺予定時刻の16時まで、あと2時間もある」

「やっと彼らの先手を取れるわ！」

ジョディもよしっ、とばかりに気合を入れる。

コナンは集音器から得た情報を整理して、ジェイムズらに伝えた。

「奴らは男三人、女三人の計六人。そのうち女二人はバイクで、後の四人は車二台に分乗。一台はポルシェ356A！」

「とりあえず、捜査官の車を至急その橋に向かわせて、その橋に通じる全ての道を押さええるとしよう」

「一網打尽にするんですね！」

ジョディが言うと、ジェイムズは「いや」と打ち消した。

「気配を消してこっそり背後に回り、一人ずつ確実に釣っていこう」

その頃。

阿笠博士に呼ばれた小五郎と蘭は、阿笠邸のリビングでテレビゲームをしていた。

「……ったく。なんでこの名探偵・毛利小五郎が博士の家でゲームしなきゃいけないんスかねぇ？」

「まあいいじゃないか！　暇だったんじゃろ？　それに、それはワシの自信作の推理ゲーム。まずは君に試してもらいたくてのォ」

阿笠博士は苦し紛れに言った。二人を匿ってほしいとコナンに頼まれた阿笠博士は、自作のゲームを試してほしいと適当な理由をつけて、二人を自宅に呼び寄せたのだ。

小五郎の隣でゲームを見ていた蘭も、さすがに飽きてきたようだった。

「でもよく事件が起こるゲームね。これで三件目……」

「いいんじゃねーか。本当に人が死ぬわけじゃなし」

小五郎は頬杖をつきながら、コントローラーのボタンを適当に押していった。

「そのつらい気持ちがプレーヤーに伝われば、ちったー意味もある。まあ、殺人なんて、ゲームやドラマの中だけに留めてほしいもんだ。本当に人を亡くした哀しみは、ゲームやドラマどころじゃねぇからな」

阿笠博士の隣にいた灰原は、神妙な面持ちで小五郎の言葉を聞いていた。すると、蘭が阿笠博士を振り返った。

「それより、コナン君は？　博士と一緒だったんじゃないの？」

「あ、ああ、先に帰ったよ。雨がひどくなってきたからのォ」

阿笠博士はハハハ……と笑ってごまかした。コナンは阿笠博士たちとトロピカルランドへ行ったことになっていたのだ。

「じゃあ私も帰ろっかな。コナン君、お腹空かせてたらかわいそうだし」

「あ、いや……」

「帰っちゃダメよ！」

立ち上がった蘭を、灰原が引き止めた。

「江戸川君なら大丈夫だから……心配ないから……だからもう行かないで！　お願い!!」

灰原は、亡くなった姉——宮野明美と蘭を重ねていた。

これ以上、周りの人間が死ぬのは見たくなかった。誰も失いたくない。

小五郎が言ったように、殺人はゲームやドラマの中だけで充分だ。現実の世界で人を失った哀しみは、決して癒えることがないのだから——。

「哀君……」

「哀ちゃん……」

いつも大人びてクールな灰原が懇願するのを見て、阿笠博士と蘭は驚いた。灰原もハッと我に返り、戸惑いの表情を浮かべる。

「……うん、わかった。哀ちゃんがそう言うなら、そうするわ」

蘭はにっこり微笑むと、床に敷かれたクッションに再び腰を下ろした。

鳥矢町を流れる大きな川に架かる斜張橋——鳥矢大橋の両側にはビルやマンションが建ち並び、その中でも橋に最も近い立体駐車場にキャンティの姿があった。車のボンネットに肘をついてライフルを構え、スコープで橋を覗いている。

「OK。こっちは視界良好だよ。そっちはどうだい？　コルン」

キャンティはスコープを覗きながら、対岸のビルの屋上にいるコルンに無線で話しかけた。

『よく、見える』

そして、川沿いの道路にはバイクにまたがったベルモットが待機していた。

「ええ。もう配置に着いてるわ」

『よォし……後……キール……待ち……だな』

ヘッドセットから聞こえてくるウォッカの声は、ノイズが混ざって聞き取りにくい。

「ねぇ、ウォッカ。さっきからそっちの声にノイズが……」

『えっ？』

「いや……なんでもないわ」

ふいにコナンが頭に浮かんだベルモットは、言葉を濁した。

バイクに乗った怜奈は、鳥矢大橋に向かうため、川沿いの片側一車線の道路を走っていた。

「そうね……到着まであと数分ってところかしら」

『着いたら教えろ、キール』

ヘッドセットからジンの声が聞こえてきて、怜奈は「了解」と答えた。

するとそのとき、背後を走っていた車が反対車線に飛び出して、怜奈のバイクを抜いた。

すぐに元の車線に戻り、怜奈のバイクの前に出る。さらにその車の後ろを走っていたベンツも、怜奈のバイクを追い抜いて、二台の車が横に並んだ。

前の車がスピードを落とし、怜奈のバイクに迫ってくる。

(危ない……!)

怜奈はバイクミラーでちらりと後ろを見た。別の車が怜奈のバイクにぴったりと張りつくように後ろを走っている。

すると、今度は右前を走っていたベンツがスピードを落として、怜奈のバイクの横に並んだ。窓が開いた運転席から、外国人の老紳士が話しかけてくる。

「Excuse me。訊きたいことがあるんだが……」

助手席に乗った外国人女性がにっこり微笑みかけたかと思うと、いきなり拳銃を怜奈に向けた。

「バイク、止めてくれる?」

「!!」

三台の車に囲まれてしまった怜奈は、クッと歯噛みした。左はガードレール越しに高い土手が続き、逃げることができない――。

追い詰めた――ベンツの助手席からバイクに拳銃を向けたジョディは、ニヤリと口の端に笑みを浮かべた。

すると次の瞬間、ライダーはハンドルに覆いかぶさるように肘を曲げ、ぐっと前に荷重をかけた。そして体を後ろに引くと同時に前輪が浮いて、大きくジャンプする。

前方の車のトランクに乗り上げたバイクは、リアガラスを登り、屋根の上で止まった。走る車の上で静止しながら、ブルン、ブルンとエンジンを噴かす。

ジョディはフロントガラスからバイクを見上げながら、拳銃の安全装置を外した。

するとそのとき、左の土手からサッカーボールが転がってきた。さらに階段から男の子が駆け下りてきて、サッカーボールを拾う。

「――!!」

バイクが乗った車は急ブレーキをかけ、ハンドルを右に切った。ジェイムズが運転するベンツも急停止する。車の屋根に乗っていたバイクは前方に投げ出され、ライダーは路面に激突して転がった。土手に落ちたバイクが爆発して、炎上する。

「なんてことだ……!!」

ジェイムズは車から飛び出し、路面に倒れているライダーに向かった。ジョディとコナンも後に続く。

「まだ息はある！　急いで病院に!!」

ジェイムズが抱き上げたライダーは、ヘルメットが取れて顔があらわになっていた。頭から血を流して、ぐったりしている。

「!!」

コナンはライダーの顔を見て驚いた。

(み、水無怜奈……!!)

バイクに乗っていたのはベルモットではなく、怜奈だったのだ。

ライダーの顔を確認したジョディは、土手で炎上しているバイクに目をやった。

「でも、なんで水無怜奈なの？　君の話だと、このバイクの女は毒島に変装したベルモットのはずじゃ……」

「発信器の位置とかなり離れてたから、きっとそうだと踏んでたんだけど……」

「どこかで革のつなぎとブーツに着替えたのね。発信器と盗聴器が付いたローファーは多分そこに」

「でも、一体どこで……」

路面には傷ついたヘルメットが転がっていて、コナンとジョディはそれを呆然と見つめていた。


「ねえ、まだかい⁉　ジン。待たせる男は嫌われるよ！」

立体駐車場でライフルを構えていたキャンティは、いつまで経っても指示が来ないことにしびれを切らした。

『焦るな、キャンティ……キール……から……連絡が……それに……ＤＪの車は……まだ……』

ヘッドセットからのジンの声には、ひどいノイズがかぶっている。

「どーでもいいけど、そっちの声、ノイズだらけで聞き取りづらいよ！」

ノイズ——？

都内を走るポルシェの中でキャンティと無線で話していたジンは、ハッと何かに気づいて、後部座席を振り返った。

「なんスか？　兄貴」

「声を立てるな」

ジンは小声で言うと後ろに身を乗り出し、後部座席に置いてある紙袋の中を探った。怜奈のローファーを取り出し、靴底を見る。すると、靴底にはチューインガムが貼られていた。ガムから盗聴器のようなものがわずかにはみ出ている。

さっきから無線にノイズが生じていたのは、この靴底に仕掛けられた盗聴器から発せられた電波が干渉していたからなのだ。

「フフ……」

靴底を見たジンは、低い含み笑いをもらした。


阿笠博士が紅茶、灰原がケーキをそれぞれキッチンから運んでくると、リビングでは蘭が一人でテレビゲームをやっていた。

「あ、ありゃあ？　蘭君がゲームを……」

蘭はテレビに目を向けたまま、「ええ」と答える。

「で、毛利君の姿が見えんが……」

「ああ」コントローラーを持った蘭は、チラリと振り返った。

「もうすぐ競馬のメインレースだからって、さっき家に帰ったけど？」

「え!?」

黙々とテレビゲームをプレイする蘭のそばで、阿笠博士と灰原の表情がみるみる青ざめていった。

怪我をした怜奈を病院に運ぶよう部下に指示したジェイムズは、ジョディやコナンと共にベンツで鳥矢大橋に向かった。

コナンは後部座席で犯人追跡メガネのレーダーをチェックしていた。すると突然、レーダーに映っていた赤い点が消えた。

「あっ！」

「え？　どうしたの？」

助手席のジョディが振り返る。

「発信器の反応が消えた……」

コナンの声に、運転席のジェイムズはルームミラー越しにコナンを見た。

「で、音は？」

「一応微かに聞こえてるんだけど、さっきから音がこもりっぱなしで……」

コナンはそう答えて、集音器に耳を傾けた。それまではクリアーに聞こえていたのに、急にフィルターを通したように、くぐもって聞こえてくるのだ。

鳥矢大橋近くの立体駐車場にいるキャンティ、ビルの屋上のコルン、そして川沿いの道路にバイクを停めているベルモットの元に、ジンから計画中止の声が届いた。

「えっ！　中止!?」

ライフルをバイパーに立てかけたキャンティは、耳を疑った。

「ここまで来て止めろって言うのかい!?」

『ああ。今、あの方にも了承を取った。ターゲットを変更するとな』

「変更……」

ビルの屋上にいるコルンは、鳥矢大橋を見下ろしながらつぶやく。

「ターゲットを変更……？」

川沿いの道路でバイクにまたがっていたベルモットは、フルフェイスヘルメットのシールドを上げ、毒島桐子のマスクをはぎ取った。

「で、どこなの？　次の標的は」

『場所は、米花町五丁目……毛利探偵事務所だ』

「‼」

ベルモットは驚いて目を見開いた。

「……毛利探偵事務所……？」


その頃。

阿笠邸を出た小五郎は、競馬新聞を片手に自宅へ向かう道を歩いていた。

「おぉ？　なんだなんだ？　今日も当たりまくってるじゃねぇか！」

イヤホンから流れてくる競馬実況を聞いて、グフフフと笑い声を立てる。


「ええっ⁉」

鳥矢大橋へ向かっているジョディは、部下からの電話で思わず声を荒らげた。

「黒い車が二台連なって、鳥矢大橋からどんどん離れてる⁉ それ、本当に彼らの車なの⁉」

『はい！ 一台はポルシェ356Aで、もう一台はバイパー！ ハーレーが乗り捨ててあったので、バイクの女も恐らくその車に……』

「そ、そんなはずないわ！ だって……」

ジョディは携帯電話を耳に当てながら、前を走る車を見た。

「彼らの標的の土門さんの車は、今、私たちの車の目の前を走行中で、まだ橋には着いてないんだから……！」

後部座席でジョディの会話を聞いていたコナンが「ねぇ」と話しかける。

「その二台の車、どっちに向かったの？」

「その車の行き先は？」

電話でたずねたジョディは「え？」と眉をひそめた。

「鳥矢四丁目の交差点を左に曲がって、杯戸町方向に⁉」

ジョディの声を聞いて、コナンは「‼」と目を見開いた。ジェイムズも「妙だな」と眉間にしわを寄せる。

「狙撃に失敗した杯戸公園に……？」

コナンは「いや」と打ち消した。

「奴らが向かってるのは、恐らくその先の米花町……」

「え⁉」ジョディが驚いて振り返る。

「バレちまったんだ、発信器と盗聴器が！　土門さんの車は後ろのFBIの車に任せて、米花町に向かって！　おっちゃんがやべぇ‼」

ジェイムズはすばやくサイドブレーキを引いてハンドルを右に切った。車が１８０度回り、そのまま鳥矢大橋と逆方向へ進んでいく。

「ん？　どうしたんだ？　後ろの車」

土門の車に乗っていたボディガードは、いきなりUターンして去っていくベンツに気づいた。

「さっきから張り付いて妙だとは思っていたが……」

別のボディガードが言うと、ボディガードの間に座って電話をしていた土門が「放っておけ」と通話を切った。

「あまり神経をとがらせすぎると、いざってときにまいってしまう。君たちの働きには十分感謝しているから。まあ私も君たちが守るべき男になるように、この苦境を乗り越えねばならんがね」

「苦境ですか……？」

ボディガードがたずねると、土門は目を閉じ眉間にしわを寄せた。

「たった今、連絡が入った。悪い知らせだ」

9

バイパーと連なって杯戸町方面へ向かうポルシェの後部座席には、ベルモットが座っていた。

「でも本当なの？　あの毛利小五郎が、キールの靴の裏に発信器と盗聴器を取り付けたって話」

ベルモットがたずねると、助手席のジンは前を向いたまま「ああ、間違いない」と答えた。

「報告によると、今日俺たちと会う前にキールが接触したのは、奴だけだ」

「でも、それだけで彼を疑うのは……」

「仕掛けた理由は知らねぇが、やったのは奴だ。何日も前に誰かに仕掛けられていたとしたら、キールが気づかねぇわけがない。名探偵ならなおさらな」

ジンの言葉に、ハンドルを握っていたウォッカが「えっ」と声を上げる。

「じゃあ、キールが姿を消したのも、あの探偵の仕業ですかい⁉」

ジンは「シッ」と人差し指を口に当てた。

「大声を出すな。まだ盗聴器は生きてる」

「え？　発信器と一緒につぶしたんじゃ……」

ウォッカが驚いていると、ジンは自分が着ている黒いコートのポケットに手を入れた。

「音を拾われないように何重にも布で包んで、俺のコートに忍ばせている。こうすれば多少の攪乱になるし、あの探偵にはまだこの世にいるうちに少々訊きてぇことがあるんでな」

ジンたちが米花町に向かっていると知ったコナンは、阿笠博士に電話をかけた。

「何っ⁉ おっちゃんが家に帰っただとォ⁉」

『そ、そうなんじゃ。蘭君はまだいるんじゃが、毛利君はちょっと目を離した隙に……。もう一度探偵事務所に行って、彼を呼び戻そうか？』

「いや！ それはマズイ！」

コナンが言うと、助手席で電話をしていたジョディが振り返った。

「どうやらFBIの捜査官が博士の家に着く前に、出て行ったそうよ！」

『何かあったのか？』

携帯電話から阿笠博士の心配そうな声が聞こえてくる。

「説明は後だ！ オレが連絡するまで家から一歩も外に出るんじゃねーぞ！」

コナンは通話を切ると、すぐに毛利探偵事務所に電話をかけた。


「ひぃ〜〜〜っ！」

探偵事務所に戻っていた小五郎は、自分のデスクで思わず悲鳴を上げた。

「こ、怖い……怖すぎる……」

顔には冷や汗が滴り、大きく目を見開いた小五郎は、デスクに置いたテレビに手をかけた。

「これで第一レースから11連勝！　ついに俺にも競馬の神が舞い降りたのかァ!?」

競馬中継をテレビで見ていた小五郎は、オホーッ！　と両手を上げて喜び勇んだ。

するとそのとき、屋上に設置されたテレビアンテナが、パスッと軽い音を立てて、真っ二つに折れた。

アンテナが破壊されたテレビは、競馬中継が映らなくなる。

「くそっ！　このポンコツテレビ！　肝心なときはいつもこうだ！」

小五郎がぼやきながらテレビを叩いていると、デスクの電話が鳴った。

「あー、くそォ！」

面倒くさそうに立ち上がった小五郎は、忌々しそうに電話を見ると、いきなり電話線を引っこ抜いた。そして胸ポケットからイヤホンを取り出して、耳につける。

「……ったく。こちとら次のレースに12戦完全的中がかかってんだ。電話なんかに出てられっか！」

そう言ってデスクに向かうと、競馬新聞を広げた。

毛利探偵事務所の向かいにあるビルの屋上に、ジンたちの姿があった。

キャンティとコルンは柵のところでライフルを構え、スコープを覗いていた。事務所の窓に背を向けて競馬新聞を読んでいる小五郎が見える。

「キャハハハハ！　素直な男だねぇ。テレビアンテナ吹っ飛ばしたら、面を見せてくれたよ」

「アイツ、耳……何か入れてる……」

コルンは小五郎のイヤホンに気づいた。

「ヘッ。どーせ自分が仕掛けた盗聴器の音を、性懲りもなく聞いてんだろーぜ」

ウォッカが言うと、そばにいたジンはニヤリと笑った。

「ならば望み通り、こっちの声を聞かせてやろう」

そう言って、懐から怜奈の靴裏に付いていた盗聴器を取り出す。

「……聞こえるか？　毛利小五郎」

ジンは手に持った盗聴器に低い声で話しかけた。


「おい！　おっちゃん!?　おっちゃん!!」

呼出音が鳴って突然ブツッと電話が切れてしまい、コナンは手にした携帯電話に呼びかけた。

すぐにまた掛け直してみたが、繋がらない。

（おっちゃん……!!）

するとそのとき、それまで音がこもりっぱなしだった集音器から、ジンの声が聞こえてきた。

『聞こえるか？　毛利小五郎。動くなよ。お前の背中は完全に取った』

（ジン……!!）

その冷酷な声を聞いて、コナンの背筋は凍りついた。やはり、怜奈の靴裏につけた盗聴器と発信器は見つけられてしまったのだ。

『その背中に風穴を空ける前に、訊きたいことがある。お前とシェリーの関係だ。お前が仕掛けた発信器と盗聴器……前にあの女に仕掛けられた物とよく似ている。偶然だとは言わせねぇぜ……』

ジンに言われて、コナンは思い出した。

街で偶然、ジンの車が停まっているのを灰原が見つけ、コナンが車の中に発信器と盗聴器を仕掛けたことがある。それはジンにあっさり見つけられてしまったのだが、その発信器と盗聴器は今回仕掛けた物とほぼ同じだ。

『10秒くれてやる。答える気になったら、そのイヤホンから左手を離して上に上げろ』

（イヤホン……？）

コナンは眉根を寄せた。

小五郎は今、イヤホンをつけているのか？　一体なんでそんなものを――。

（そうか！　おっちゃん、競馬をラジオで聞いているんだ！）

そして、ジンは小五郎がそのイヤホンで盗聴していると思っているのだ。

そのとき、助手席のジョディが叫んだ。

「み、見えた！　毛利探偵事務所よ!!」

コナンが乗ったベンツは、探偵事務所のすぐ近くまで来ていた。

『10……9……8……』

集音器の向こうで、ジンがカウントダウンを始めた。

「車の屋根を!!　早く――!!」

コナンはジェイムズに指示すると同時に、キック力増強シューズを起動する。

「6……5……」

ビルの屋上から、ジンはゆっくりとカウントダウンした。

その声を、ライフルで小五郎を狙うキャンティとコルンが聞いている。

「3……2……」

『1……』

ベンツの電動ルーフが全開になると同時に、コナンはベルトのバックルからサッカーボールを出した。

「いっけえ——ッ!!」

後部座席に立ち上がったコナンは、サッカーボールを探偵事務所の窓をめがけて思い切り蹴り上げた。

ビシイイイッ!!

ベンツの開いた屋根から飛び出したサッカーボールは、探偵事務所の窓を直撃して、窓に大きなヒビが入った。

「コラァ!!　どこのどいつだァ——!!」

デスクで競馬中継を聞いていた小五郎は、窓を開けて怒鳴り散らしながら下を見た。すると——眼下の通りにコナンが立っていた。

「ごめんなさーい！　ちょっと強く蹴りすぎちゃって」

「て、てめぇ……!!」

「それより競馬どうなったー？　そのイヤホンで聞いてたんでしょー!?」

コナンはわざと周囲に聞こえるような大きな声で言った。

「競馬……？」

探偵事務所の向かいにあるビルの屋上にいたウォッカは、コナンの言葉に一瞬耳を疑った。

すると、窓から顔を出した小五郎が「あ！」と自分の耳に手を当てた。

「あ〜！　てめぇのせいで外しちまったじゃねーか!!」

ジンのそばで腕を組んでいたベルモットは、フフッと笑った。

「どうやら彼は無関係のようね」

しかし、ジンは冷酷な声で言った。

「殺れ。ガキもろとも」

「あいよ！」

キャンティとコルンがライフルのスコープを覗く。

「疑わしきは罰せよってヤツですね、兄貴！」

ウォッカがニヤリと笑うと、ベルモットが「待ってよ！」と声を上げた。

「確証もないのに、警察と関わりの深い彼を殺ったりしたら……」

「くどいぞ、ベルモット」

ジンは銃口をベルモットの頭に向けた。

「あ、兄貴！」

ウォッカがうろたえる前で、ベルモットはジンの方に顔を向けて笑みを浮かべた。

「……お前、あの探偵と何かあるのか？」

「あら、あったらどうなの？」

ベルモットが挑発的な眼差しを向けると、ジンは「フン、まあいい」と拳銃を下ろして懐にしまった。そして、盗聴器を持つ右手をベルモットに見せるように上げる。

「こいつを仕掛けた奴はうかつにも指紋を残しているようだ。奴を殺った後で奴の周辺を探れば、誰の仕業かわかるだろーからな」

ジンが親指と人差し指でつかんだ盗聴器を見て笑みを浮かべた瞬間――パァン！

盗聴器が粉々に吹き飛んだ。銃で撃たれたのだ。盗聴器を撃ち抜いた銃弾がコルンのそばの柵に当たる。

「後ろ。八時の方向」

コルンに言われて、キャンティは後ろを振り返ってスコープを覗いた。遠く離れた正面にある一際高いビルの屋上に人影が見える――！

「あのビルだよ！」

キャンティがライフルで指したビルを見て、ウォッカは目を疑った。

「バ、バカな！　７００ヤードは離れて……」

キャンティやコルンのような優秀なスナイパーでも６００ヤードが限界だというのに、あんなところから盗聴器みたいな小さい標的を狙い撃てる人間がいるのか――⁉

「貸せ‼」

ジンはコルンからライフルを奪い取ると、スコープで遠く離れたビルの屋上を見た。スコープをズームアップさせると、屋上に立つ人影がはっきりと見えてくる。

黒のニット帽に黒の革ジャンを着た男が、笑みを浮かべてライフルを構えていた。

「赤井……秀一⁉」

ジンがすばやくライフルを構え直してスコープを覗いた瞬間――スコープの十字線の中央に弾丸が映った。

「――っ‼」

赤井が放った弾丸がスコープを貫き、ジンの左目下をかすめる。

「やっと会えたな」

ジンたちがいるビルから遠く離れたビルの屋上でライフルを構えた赤井は、スコープに映るジンたちを見て、口の端を持ち上げた。

「愛しい愛しい宿敵さん……？」

キャンティが撃ってくるのが見えたが、赤井は避けようとしなかった。この距離では彼女が当てられるはずがない。

赤井はジンに向けて銃弾を二発放った。


バシュ！　バシュ！

赤井が放った銃弾は、ジンの両胸に突き刺さった。

「あ、兄貴！」

ウォッカが駆け寄ると、左胸を押さえたジンは口から血を流していた。

「……ずらかるぞ」

「でも、探偵とガキは!?」

キャンティが探偵事務所の方を親指で指す。

「構うな！　急げ!!」

ジンたちはすぐにビルの屋上を後にした。


毛利探偵事務所の正面にあるビルの路地からポルシェとバイパーが飛び出してきたのは、それからすぐのことだった。

「彼らの車は米花町五丁目から西へ。追跡を」

探偵事務所の前に停めたベンツのそばで、ジョディは携帯電話で仲間に追跡を依頼した。

「まぁ、途中でまかれてしまうだろうがな……」

ベンツの運転席に座ったジェイムズが、独り言のようにつぶやく。

コナンは小さくなっていくポルシェとバイパーを、険しい眼差しで見つめていた。

10

ビルの間の路地から飛び出したポルシェとバイパーは、二車線の道路を並走した。

「え？　さっきの銃撃、ＦＢＩだったんですかい？」

ポルシェのハンドルを握ったウォッカが、驚きを顔に浮かべる。

「ああ。はめられたんだよ、俺たちは」

助手席のジンはそう言うと、口から流れていた血を拭った。

「随分前から俺たちがあそこに来ると踏んでねぇと、あのビルの位置取りはできねぇからな」

ジンは自分を撃った赤井秀一を頭に思い浮かべた。ライフルを構えてスコープでジンをとらえた赤井は、余裕の笑みを浮かべていた。赤井はジンたちが毛利探偵事務所の向かいのビルから小五郎を狙うことがわかっていたのだ。ジンたちが到着する随分前から、あのビルで待ち構えていたに違いない。

「じゃあ、毛利小五郎とＦＢＩがつるんで……」

「それはないんじゃない？」

ベルモットがウォッカの言葉を遮った。

「ＦＢＩにとって、彼は私たちをおびき寄せるただの餌。でなきゃ、仲間をあんな危険な目には遭わさないんじゃなくて？」

赤井に撃たれて左目下に傷を負ったジンは、ベルモットの話を黙って聞いていた。

「多分、キールと彼が接触するという情報を聞きつけて、二人が別れた後でＦＢＩがキールの靴に発信器と盗聴器を仕掛けたのよ。万が一、それを発見されても、私たちが彼を疑うようにね」

ベルモットの仮説を最後まで聞いたジンは、「フン」と鼻から息を漏らした。

「そういうことにしておこう。毛利小五郎はお前のごひいきの探偵のようだからな」

「……ありがとう」

ベルモットが皮肉めいた笑みを浮かべると、ウォッカが「それより」と口を挟んだ。

「問題はキール。まさかFBIに……」

フランスの煙草『ゴロワーズ』の箱を取り出したジンは「ああ」と言いながら黒煙草を一本口にくわえ、シガーソケットで火を付けた。

「奴らの手に落ちたとみて間違いない。まぁキールがそう簡単に口を割るとは思えねぇが、あらゆる手を使って必ず捜し出してやる」

「あら、当てでもあるの？」

ベルモットがたずねると、ジンは黒帽子の下から覗く三白眼の目を細めた。

「当てなんざいくらでも転がってるぜ。俺はまだ、毛利小五郎も完全なシロだとは思ってねぇしな」

煙草の煙がゆらゆらとたなびいて、黒煙草特有の強い香りが車内に溶けていった。

翌朝。ジョディとジェイムズは怜奈が運ばれた病院を訪れた。そこには赤井秀一の姿もあった。三人で、病室へ向かう廊下を歩いていく。

「観ました？　今朝のテレビ」

ジョディが言うと、横に並んだジェイムズは「ああ」と応じた。

「土門さんが選挙の出馬を今回は見合わせたっていうニュースだろ？」

「理由は、官僚だった父親の不倫疑惑が発覚したから。それも二十年も前の……」

「日売テレビがつかんだそのネタを伏せる条件で、土門さんは単独インタビューに応じたようだが、それは水無怜奈が勝手に仕組んだこと……テレビ局の方には通ってなかったということか……」

ジェイムズはそう言って小さく息をついた。

「まぁ、それで出馬を断念するような律儀な男だとわかっていれば、彼らも苦労しなかっただろうがね」

「でも、その彼ら……せめてもう二、三人捕まえることができたら……」

ジョディが悔しげに眉を寄せると、二人の前を歩いていた赤井が前を向いたまま言った。

「足を撃ち抜くこともできたが、防弾ジャケット越しに弾をぶち込むだけに留めたよ。下手に足止めして街中で銃撃戦になれば、一般人に被害者が出かねなかったし……」

歩きながら、赤井はチラリとジョディを振り返った。

「あの場合、発信器と盗聴器を仕掛けたのはＦＢＩだと奴らに思わせることが最優先……だったんだろ？」

「そうだけど……」

廊下の突き当りにある部屋が、怜奈の病室だった。先頭を歩いていた赤井が、怜奈の病室の前で立ち止まる。

「それに、まだ奴らとの糸は切れたわけじゃない」

そう言ってドアを開けると、頭に包帯を巻いた怜奈がベッドに横たわっていた。ドアの脇には、ＦＢＩの仲間が立っている。

三人はベッドの脇に立ち、静かに眠っている怜奈を見下ろした。

「命に別状はないが、意識は戻らないらしい」

ジェイムズの言葉に、ジョディは眉をひそめた。

「回復を待つしかなさそうですね。彼女が入院していることは伏せてもらっていますし」

「しかし、アナウンサーが突然消えたら、テレビ局が黙っちゃおるまい」

ジョディはジェイムズの声を背に受けながら、窓に向かった。そして閉め切ったカーテンを開ける。

「大丈夫！　あの子がうまくやってくれるらしいから」

ジェイムズと赤井は窓に近づき、外を覗いた。すると、病院の中庭にコナンがいた。歩きながら、携帯電話の数字キーを押している。

「……またあのボウヤか。何者なんだ？」

赤井がコナンの姿を追いながらたずねると、ジョディは愛おしそうにコナンを見つめて微笑んだ。

「探偵よ。私のお気に入りのね」

怜奈の病室に背を向けて歩いていたコナンは、花壇の前で立ち止まった。右手で持った携帯電話を耳に当て、左手に持った蝶ネクタイ型変声機を口元に近づける。

「あ、人事部長ですか？　水無怜奈です。大変申し訳ないんですが、しばらく休暇を……」

コナンは怜奈の声でテレビ局に電話をして、長期休暇を取りたいと伝えた。

人事部長に了承を得たコナンは、通話を切って携帯電話をポケットにしまうと、怜奈の病室を振り返った。

病室の窓のそばにはジョディとジェイムズが立っている。赤井の姿はない。

コナンはジョディたちに向かって親指を立てて微笑んだ。

11

数日後。

コナンと灰原は米花公園に来ていた。灰原は噴水のへりに腰かけ、コナンはその横でへりから身を乗り出し、噴水の水をちゃぷちゃぷと触っている。

「ラッキーだったわね」

灰原は前を向いたまま言った。

「あなたと行動を共にしていた毛利探偵が疑われ、彼らに暗殺されそうになったのに、間一髪で助かったんだから。まぁ、そうなることを予測して彼らを待ち伏せ、狙撃し、発信器や盗聴器はＦＢＩの仕業だと見せかけてくれた……その赤井って人に感謝するのね」

「あぁ、感謝してるよ」

コナンは噴水の水面を覗き込みながら言った。

「蘭を博士ん家で匿ってくれたオメーにもな」

お礼を言ったつもりなのに、灰原は見事にスルーして「それより大丈夫なの？」とコナンに顔を向ける。

「あの後、毛利探偵に一人もガードが付いてないらしいけど……」

「その方が安全だから、ＦＢＩの護衛は断ったよ」

コナンはそう言うと水につけた手を上げ、へりの上で頬杖をついた。

「せっかくおっちゃんとＦＢＩは無関係だと思わせただろーに、ヘタに護衛なんかつけたら、やっぱりＦＢＩと関係があると勘繰られて余計危険だからな」

「そうだけど……」

灰原が不安気な表情を浮かべる。コナンはへりから上体を起こし、背筋を伸ばした。

「それに、こっちには奴らから手に入れたカードが一枚残ってるし」

「……アナウンサーの水無怜奈さんね。意識不明で入院してるそうだけど」

コナンは「ああ」と応じた。

「24時間FBIが監視して、目を覚ますのを待ってるらしいぜ」

頭を強く打った怜奈は、命に別状はないものの、数日経った今も意識が戻らないままだ。

「でも、その病院が彼らに見つかったら……」

不安な影を胸に落とす灰原に、コナンは「大丈夫！」と明るい声で言った。

「彼女の声でテレビ局に電話して、長期休暇を取ったから。まさか入院してるとは奴らも思わねぇさ」

そう言って歩き出すと、灰原もへりから腰を上げた。

「とにかく油断しないことね。多分彼らは、今も彼女の居場所を血眼になって捜してるでしょうから」

コナンは立ち止まって、「ああ」と振り返った。

「奴らなら、どんな手を使ってでも……だろうからな」

黒ずくめの組織の恐ろしさは、コナンも十分承知している。
それでも、奴らから身を隠して逃げてばかりじゃいられない。
いつか奴らの正体を暴いて、決着をつけてやる——！
戦いの決意を胸に宿したコナンは、人気の少ない公園を再び歩き出した。

Shogakukan Junior Bunko

★小学館ジュニア文庫★

名探偵コナン ブラックインパクト! 組織の手が届く瞬間

2020年12月23日　初版第1刷発行
2023年 3 月22日　　第3刷発行

著者／水稀しま
原作／青山剛昌
（少年サンデーコミックス『名探偵コナン』㊽㊾ より）

カバー原画／吉見京子
仕上げ／井上あきこ

発行人／井上拓生
編集人／今村愛子
編集／伊藤　澄

発行所／株式会社　小学館
〒101-8001　東京都千代田区一ツ橋2－3－1
電話／編集　03-3230-5105
販売　03-5281-3555

印刷・製本／中央精版印刷株式会社

カバーデザイン／石沢将人＋ベイブリッジ・スタジオ

Printed in Japan　ISBN 978-4-09-231355-2

★「小学館ジュニア文庫」を読んでいるみなさんへ★

この本の背にあるクローバーのマークに気がつきましたか？　これは、小学館ジュニア文庫のマークです。そして、それぞれの葉の色には、私たちがジュニア文庫を刊行していく上で、みなさんに伝えていきたいこと、私たちの大切な思いがこめられています。

オレンジ、緑、青、赤に彩られた四つ葉のクローバー。

オレンジは愛。家族、友達、恋人。みなさんの大切な人たちを思う気持ち。まるでオレンジ色の太陽の日差しのように心を暖かにする、人を愛する気持ち。

緑はやさしさ。困っている人や立場の弱い人、小さな動物の命に手をさしのべるやさしさ。緑の森は、多くの木々や花々、そこに生きる動物をやさしく包み込みます。

青は想像力。芸術や新しいものを生み出していく力。立場や考え方、国籍、自分とは違う人たちの気持ちを思い、協力しあうことも想像の力です。人間の想像力は無限の広がりを持っています。まるで、どこまでも続く、澄みきった青い空のようです。

赤は勇気。強いものに立ち向かい、間違ったことをただす気持ち。くじけそうな自分の弱い気持ちに立ち向かうことも大きな勇気です。まさにそれは、赤い炎のように熱く燃え上がる心。

四つ葉のクローバーは幸せの象徴です。愛、やさしさ、想像力、勇気は、みなさんが未来を切りひらき、幸せで豊かな人生を送るためにすべて必要なものです。

体を成長させていくために、栄養のある食べ物が必要なように、心を育てていくためには読書がかかせません。みなさんの心を豊かにしていく本を一冊でも多く出したい。それが私たちジュニア文庫編集部の願いです。

みなさんのこれからの人生には、困ったこと、悲しいこと、自分の思うようにいかないことも待ち受けているかもしれません。どうか「本」を大切な友達にしてください。どんな時でも「本」はあなたの味方です。そして困難に打ち勝つヒントをたくさん与えてくれるでしょう。みなさんが「本」を通じ素敵な大人になり、幸せで実り多い人生を歩むことを心より願っています。

小学館ジュニア文庫編集部

名探偵コナン　大怪獣ゴメラVS仮面ヤイバー

名探偵コナン　ブラックインパクト！　組織の手が届く瞬間

小説　名探偵コナン　CASE1～4

名探偵コナン　安室透セレクション　ゼロの推理劇

名探偵コナン　怪盗キッドセレクション　月下の予告状

名探偵コナン　京極真セレクション　蹴撃の事件録

名探偵コナン　赤井秀一セレクション　赤と黒の攻防

名探偵コナン　赤井一家セレクション　緋色の推理記録

名探偵コナン　世良真純セレクション　異国帰りの転校生

名探偵コナン　赤井秀一緋色の回顧録セレクション　狙撃手の極秘任務

名探偵コナン　黒ずくめの組織セレクション　黒の策略

名探偵コナン　警察セレクション　命がけの刑事たち

名探偵コナン　安室透セレクション　ゼロの裏事情

まじっく快斗1412　全6巻

★小学館ジュニア文庫★ ワクワク、ドキドキがいっぱいのラインナップ

〈話題の映像化ノベライズシリーズ〉

アイドル×戦士 ミラクルちゅーんず！
劇場版 ひみつ×戦士 ファントミラージュ！ ～映画になってちょーだいします～
劇場版 ポリス×戦士 ラブパトリーナ ～怪盗からの挑戦！ラブでパパッとタイホせよ！～

あさひなぐ
兄に愛されすぎて困ってます
あのコの、トリコ。
一礼して、キス
糸 映画ノベライズ版
ういらぶ。
海街diary
映画くまのがっこう パティシエ・ジャッキーとおひさまのスイーツ
映画 4月の君、スピカ。

映画 10万分の1

映画刀剣乱舞
映画プリパラ み～んなのあこがれ♪レッツゴー☆プリパリ
映画妖怪ウォッチ 空飛ぶクジラとダブル世界の大冒険だニャン！
映画妖怪ウォッチ シャドウサイド 鬼王の復活
映画妖怪ウォッチ FOREVER FRIENDS
映画 妖怪学園Y 猫はHEROになれるか
映像研には手を出すな！

怪盗ジョーカー ①～⑦
がんばれ！ ルルロロ 全2巻
小説 金の国 水の国

境界のRINNE 全3巻
今日から俺は!!劇場版

キラッとプリ☆チャン～プリティオールフレンズ～
くちびるに歌を
劇場版アイカツ！
心が叫びたがってるんだ。
坂道のアポロン

貞子VS伽椰子
真田十勇士
呪怨―ザ・ファイナル―
呪怨―終わりの始まり―
小説 イナズマイレブン アレスの天秤 全4巻
小説 イナズマイレブン オリオンの刻印 全4巻
小説 おそ松さん 6つ子とエジプトとセミ
スナックワールド 全3巻
世界からボクが消えたなら 映画「世界から猫が消えたなら」キャベツの物語
世界から猫が消えたなら
NASA超常ファイル ～地球外生命からの挑戦状～
二度めの夏、二度と会えない君

8年越しの花嫁 奇跡の実話

花にけだもの
花にけだもの Second Season
ヒノマルソウル ～舞台裏の英雄たち～

響―HIBIKI―
ぼくのパパは天才なのだ 「深夜！天才バカボン」ハジメちゃん日記
ポケモン・ザ・ムービーXY 破壊の繭とディアンシー
ポケモン・ザ・ムービーXY 光輪の超魔神フーパ
ポケモン・ザ・ムービーXY&Z ボルケニオンと機巧のマギアナ
劇場版ポケットモンスター キミにきめた！
劇場版ポケットモンスター みんなの物語

名探偵ピカチュウ
ミュウツーの逆襲 EVOLUTION
劇場版ポケットモンスター ココ

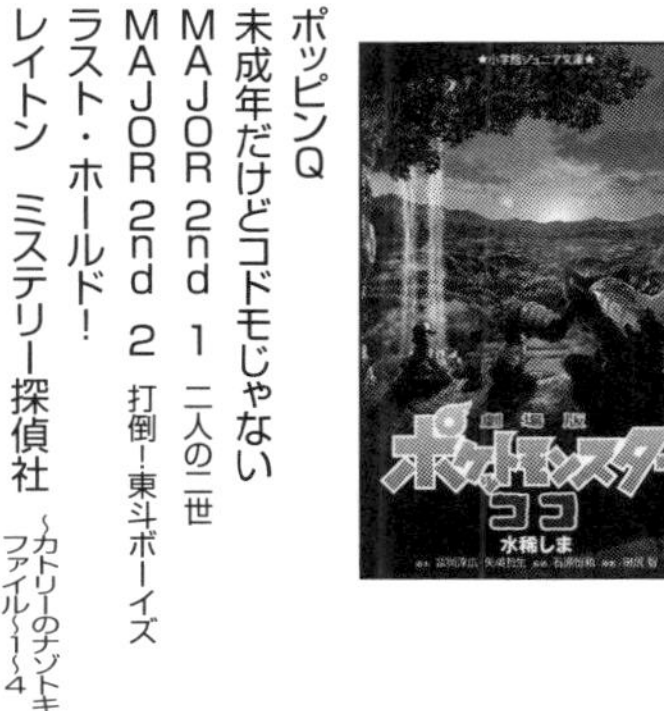

ポッピンQ
未成年だけどコドモじゃない
MAJOR 2nd 1 二人の二世
MAJOR 2nd 2 打倒！東斗ボーイズ
ラスト・ホールド！
レイトン ミステリー探偵社 ～カトリーのナゾトキファイル～1～4

★小学館ジュニア文庫★ ワクワク、ドキドキがいっぱいのラインナップ

〈みんな大好き♡ディズニー作品〉

アナと雪の女王 ～同時収録 短編 エルサのサプライズ～
アナと雪の女王2
アナと雪の女王 ～ひきさかれた姉妹～
あの夏のルカ
アラジン
カーズ
クルエラ
ジャングル・ブック
ズートピア
ストレンジ・ワールド もうひとつの世界

ソウルフル・ワールド
ダンボ
ディズニーツムツムの大冒険 全2巻
ディズニーヴィランズのこわい話 アースラ 悪夢の契約書
ディズニーヴィランズのこわい話 フック船長 12歳、永遠の呪い

ディセンダント 全3巻
トイ・ストーリー
トイ・ストーリー2
塔の上のラプンツェル
ナイトメアー・ビフォア・クリスマス
2分の1の魔法
眠れる森の美女 ～目覚めなかったオーロラ姫～
バズ・ライトイヤー
美女と野獣 ～運命のとびら～（上）（下）
ピノキオ

ファインディング・ドリー
ファインディング・ニモ
ベイマックス
マレフィセント2 ～同時収録 マレフィセント～
ミラベルと魔法だらけの家
ムーラン
モンスターズ・インク
モンスターズ・ユニバーシティ
ラーヤと龍の王国
ライオン・キング
私ときどきレッサーパンダ

わんわん物語

〈全世界で大ヒット中！　ユニバーサル作品〉

怪盗グルーの月泥棒
怪盗グルーのミニオン危機一発
怪盗グルーのミニオン大脱走
グリンチ
ジュラシック・ワールド　炎の王国
ジュラシック・ワールド　0　悲劇の王国
ジュラシック・ワールド　新たなる支配者

ジュラシック・ワールド　サバイバル・キャンプ
ジュラシック・ワールド　サバイバル・キャンプ2
SING　シング

SING　シング　―ネクストステージ―

ペット
ペット2
ボス・ベイビー
ボス・ベイビー　ファミリー・ミッション

ボス・ベイビー　～ビジネスは赤ちゃんにおまかせ～　1～2
ミニオンズ

ミニオンズ　フィーバー

モンスターズ・ナイト　～魔人ドラキュラ・フランケンシュタイン・狼男～

〈たくさん読んで楽しく書こう！　読書ノート〉

アナと雪の女王2　読書ノート
すみっコぐらしの読書ノート
すみっコぐらしの読書ノート　ぱーと2
くまのプーさん　読書ノート
コウペンちゃん読書ノート
ドラえもんの夢をかなえる読書ノート
名探偵コナン読書ノート

★小学館ジュニア文庫★ ワクワク、ドキドキがいっぱいのラインナップ

〈ジュニア文庫でしか読めないおはなし！〉

愛情融資店まごころ　全3巻
アイドル誕生！～こんなわたしがAKB48に!?～
アズサくんには注目しないでください！
あの日、そらですきをみつけた
いじめ　14歳のMessage
1話3分 こわい家、あります。　くらやみくんのブラックリスト　全3巻
おいでよ、花まる寮！
お悩み解決！ズバッと同盟　全2巻
緒崎さん家の妖怪事件簿　全4巻
彼方からのジュエリーナイト！
彼方からのジュエリーナイト！　怪盗ナインをつかまえたい！
華麗なる探偵アリス&ペンギン
華麗なる探偵アリス&ペンギン　ワンダー・チェンジ！
華麗なる探偵アリス&ペンギン　ミラー・ラビリンス
華麗なる探偵アリス&ペンギン　サマー・トレジャー

華麗なる探偵アリス&ペンギン　トラブル・ハロウィン
華麗なる探偵アリス&ペンギン　ペンギン・パニック！
華麗なる探偵アリス&ペンギン　ミステリアス・ナイト
華麗なる探偵アリス&ペンギン　アリスVS.ホームズ！
華麗なる探偵アリス&ペンギン　アラビアン・デート
華麗なる探偵アリス&ペンギン　パーティ・パーティ
華麗なる探偵アリス&ペンギン　ホームズ・イン・ジャパン
華麗なる探偵アリス&ペンギン　ウィッチ・ハント！
華麗なる探偵アリス&ペンギン　ファンシー・ファンタジー
華麗なる探偵アリス&ペンギン　リトル・リドル・アリス
華麗なる探偵アリス&ペンギン　ゴースト・キャッスル
華麗なる探偵アリス&ペンギン　ウエルカム・ミラーランド
華麗なる探偵アリス&ペンギン　ウィッシュ・オン・ザ・スターズ
華麗なる探偵アリス&ペンギン　ダンシング・グルメ
華麗なる探偵アリス&ペンギン　ペンギン・ウォンテッド！
華麗なる探偵アリス&ペンギン　キャッツ・イン・ザ・スカイ

ギルティゲーム　全6巻
銀色☆フェアリーテイル　全3巻
ぐらん×ぐらんぱ！ スマホジャック　全2巻
ここはエンゲキ特区！
さくら×ドロップ　レシピ1：チーズハンバーグ
ちえり×ドロップ　レシピ1：マカロニグラタン
みさと×ドロップ　レシピ1：チェリーパイ
さよなら、かぐや姫～月とわたしの物語～
12歳の約束
女優猫あなご
白魔女リンと3悪魔　全10巻
世界中からヘンテコリン!?　世にも不思議なおみやげ図鑑 メキシコ&フィンランド編

世界の中心で、愛をさけぶ
絶滅クラス！～暴走列車から脱出しろ！～

ぜんぶ、藍色だった。
そんなに仲良くない小学生４人は謎の島を脱出できるのか!?
探偵ハイネは予言をはずさない
探偵ハイネは予言をはずさない　ハウス・オブ・ホラー
探偵ハイネは予言をはずさない　デートタイム・ミステリー
転校生　ポチ崎ポチ夫
天才発明家ニコ&キャット　全2巻
TOKYOオリンピック　はじめて物語
謎解きはディナーのあとで　全3巻
猫占い師とこはくのタロット
のぞみ、出発進行!!
初恋×ヴァンパイア

パティシエ志望だったのに、シンデレラのいじわるな姉に生まれ変わってしまいました！
大熊猫ベーカリー　全2巻
姫さまですよねっ!?　姫さまVS.暴君殿さまVS.忍者　大坂城は大さわぎ！

ホルンペッター
ぼくたちと駐在さんの700日戦争　ベスト版　闘争の巻
三つ子ラブ注意報！　モテ男子の目黒くんたちと一緒に住むことになりまして
三つ子ラブ注意報！　モテ男子目黒くんたちの甘すぎる溺愛バトル!?
ミラクルへんてこ小学生　ポチ崎ポチ夫
メチャ盛りユーチューバーアイドルいおん☆
メデタシエンド。　全2巻
ゆめ☆かわ　ここあのコスメボックス　全6巻
夢は牛のお医者さん
4分の1の魔女リアと真夜中の魔法クラス　まさかの魔法使いデビュー！
4分の1の魔女リアと真夜中の魔法クラス　ひとりぼっちの魔法バトル！
4分の1の魔女リアと真夜中の魔法クラス　黒に堕ちた学園を救え…る？

リアル鬼ごっこ　リプレイ
リアル鬼ごっこ　セブンルールズ
リアル鬼ごっこ　リバースウイルス

リアルケイドロ　捜査ファイル01　渋谷編　逃亡犯を追いつめろ！

レベル1で異世界召喚されたオレだけど、攻略本は読みこんでます。
レベル1で異世界召喚されたオレだけど、なぜか新米魔王やってます
わたしのこと、好きになってください。

★小学館ジュニア文庫★ ワクワク、ドキドキがいっぱいのラインナップ

〈みんな読んでる「ドラえもん」シリーズ〉

小説 映画ドラえもん のび太の宝島
小説 映画ドラえもん のび太の月面探査記
小説 映画ドラえもん のび太の新恐竜
小説 映画ドラえもん のび太の人魚大海戦

小説 映画ドラえもん のび太と奇跡の島

小説 映画ドラえもん のび太の宇宙英雄記

小説 映画ドラえもん のび太の南極カチコチ大冒険

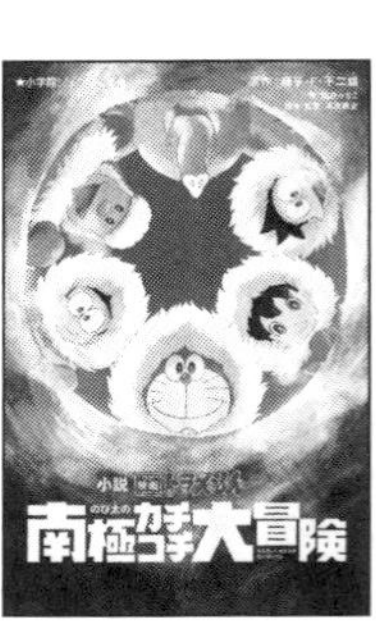

小説 映画ドラえもん のび太の宇宙小戦争 2021
小説 映画ドラえもん のび太と空の理想郷

小説 STAND BY ME ドラえもん

小説 STAND BY ME ドラえもん 2

ドラえもん 5分でドラ語り ことわざひみつ話
ドラえもん 5分でドラ語り 四字熟語ひみつ話
ドラえもん 5分でドラ語り 故事成語ひみつ話